de Bibliotheek
Breda Zuid-Oost
D0409932

DE VOS VAN DE BIESBOSCH

JACHT OP EEN VERRADER

Ontzet zag Dirk hoe het lichaam van Ben heen en weer schokte.

(blz. 165)

DE VOS VAN DE BIESBOSCH

Jacht op een verrader

AD VAN GILS

Geïllustreerd door
DICK VAN DE POL

8e druk

KLUITMAN

De trilogie over
DE VOS VAN DE BIESBOSCH
bestaat uit de volgende delen:

Een verzetsgroep in actie
(deel 1)

Jacht op een verrader
(deel 2)

Terug in bezet gebied
(deel 3)

Bezoek onze website voor meer informatie
over uitgeverij Kluitman en de auteurs:
www.kluitman.nl

Omslagontwerp: Design Team Kluitman
Dit boek is gedrukt op chloorvrij gebleekt papier,
dat afkomstig is van hout uit productiebossen.

De zevende druk is geheel herzien.
ISBN 90 206 2042 8
Nur 283/G050308

BIJ KONINKLIJKE BESCHIKKING
HOFLEVERANCIER

1

Tegen de avond was het gaan waaien. Een gure, schrale wind vanuit het noordoosten, die het lage wolkendek uit elkaar scheurde. De stevige windvlagen joegen de wolkenflarden over de Biesbosch. In de polders stonden de boerderijen weerloos te midden van de weilanden en de lege, zwarte akkers. Daaromheen en daarbuiten, op de gorzen en griendgronden*, boog het hoog opgeschoten riet diep door naar de vochtige aarde. De dichte, hoge struiken lieten de eerste bladeren vallen.

In de Biesbosch werd al een hele tijd geen riet meer gesneden en het griendhout werd niet meer gekapt. De mannen die dat werk altijd deden, de rijswerkers en de griendwerkers, hadden andere zaken aan hun hoofd. Het was oorlog. En nu leek die oorlog de laatste, beslissende fase in te gaan. In die strijd was het gezamenlijk verzet tegen de bezetter veel belangrijker dan het snijden van riet of het kappen van griendhout.

Dat de rijswerkers en de griendwerkers de Biesbosch met rust lieten, was nog ergens anders goed voor. Nu vormde de Biesbosch een ondoordringbaar woud, waarin vele woonboten en schuilhutten onvindbaar bleven voor de bezetters.

De wind zweepte het water van de Nieuwe Merwede en de

Voor een verklarende woordenlijst, zie blz. 234

Amer op. Onrustig golfde het water voor de wind uit door de kreken en beken.

Op de Griendplaat, ergens in het stroomgebied tussen het Gat van Van Kampen en het Gat van de Honderd en Dertig*, lag het woonhuis van kooiker Kromvoort, op een kleine terp. Als de bleke maan nu en dan door het wilde wolkendek priemde, was het te zien: kwetsbaar, scherp afgetekend tegen de donkere horizon. Als een decorstuk op een enorm toneel.

Het huis zag er doods en leeg uit. De achterdeur hing open en zwiepte heen en weer op het ritme van de windvlagen. Door de kapotte ruiten fladderden gerafelde gordijnen naar buiten. Binnen was het een chaos. Alle meubels waren kapotgeslagen en de vloer was bedekt met modder, stro en mest.

Buiten, aan de zijkant van het huis, stonden twee Duitse soldaten. Ze stonden in de beschutting van het berghok, met opgeslagen kragen, de helm laag over het voorhoofd en de handen diep in de zakken van hun lange legerjas. Hun geweren hingen achteloos aan hun schouders. Eigenlijk hoorden ze op hun post te zijn bij de mitrailleursopstelling, bij de monding van de kleine inham. Maar daar had de stormachtige wind vrij spel, waardoor het geen echt aantrekkelijke plaats was om op wacht te staan.

De mannen spraken zacht met elkaar. „Is het nu echt nodig dat we hier allebei in dit rotweer staan?" vroeg de jongste opstandig. „Er is hier geen sterveling te bekennen! Geen mens waagt zich met dit hondenweer buiten, zeker niet in dit verlaten oord. We kunnen toch om de beurt schuilen in het huis?"

*Voor een kaart van de Biesbosch, zie blz. 238–239

„Dat zou kunnen," knikte de ander, die duidelijk ouder was, „maar we doen het niet. Ik heb je je zin al gegeven door onze post in de steek te laten. Maar ik ga echt niet in mijn eentje de wacht houden."

„Ik zei om de beurt!"

„Nein, mein Junge," zei de oudere weer. „Ze hebben ons hier neergezet, dat is niet voor niets. Zonder doel gebeurt er niets in ons leger! Dat heb ik geleerd en het wordt tijd dat jij dat ook leert."

„...Sprak hij alsof hij de enige is die in Stalingrad gevochten heeft," spotte de ander. „Nou Horst, die slag hebben we verloren, hoor! Of ben je dat vergeten?"

„Ik ben niets vergeten," viel de soldaat die Horst genoemd werd, uit. „Geen minuut, geen seconde van die afschuwelijke strijd. De bittere kou, bevroren handen en voeten, de honderden en honderden gesneuvelde kameraden... Een verloren strijd, ja, maar vergeten? Ha!" Hij liet een korte, cynische lach horen. „Alsof je zoiets ooit nog kúnt vergeten."

„Het was verschrikkelijk, hè?"

„Het was zo verschrikkelijk dat jij je dat niet eens kunt voorstellen, Karl, en wees daar maar blij om."

„Erger dan Sicilië, erger dan Montecassino?"

„Ja, daar was ik ook bij. Dat was ook een hel, al was het anders dan Stalingrad. Het was een hete hel, uitzichtloos en slopend. Verdammt, oorlog is ellende! Ze hebben me overal heen gestuurd. Naar het Oostfront. Naar Italië, toen die lafbekken het daar dreigden op te geven. Naar Montecassino, waar niets meer van over was dan een rokende puinhoop. En toen we ons daar uiteindelijk toch gewonnen moesten geven, werd ik naar

Normandië gestuurd. En daar was het ook weer een verschrikking. Dat zijn geen leuke dingen om aan terug te denken!"

„Ik begrijp het niet," zei Karl. „Ik dacht dat het Duitse leger onoverwinnelijk was. Der Führer heeft het toch altijd gezegd: 'Duitsland wint op alle fronten!' Maar zoals het nu gaat, verliezen we overal! Horst... gaan we verliezen? De oorlog, bedoel ik?"

„Ach, der Führer! Der Führer kan zoveel zeggen. De hele wereld wilde hij hebben. Verdammt noch mal! In het begin had hij gelijk. Wij wáren onoverwinnelijk! Hier in het Westen, in Afrika, op de Balkan, zelfs in Rusland. Helaas heeft hij niet onder ogen willen zien dat onze tegenstanders ook een miljoenenleger op de been konden brengen. Maar ze zijn gekomen, Karl, en ik heb ze gezien! In juni, aan de Normandische kust, in Caen en Bayeux. Duizenden, honderdduizenden! En nu, goed vier maanden later, staan ze al voor Antwerpen. Zestig, zeventig kilometer hiervandaan! In het oosten is de terugweg naar onze Heimat afgesloten. De geallieerden hebben daar over de lijn Eindhoven-Arnhem met duizenden paratroepers een corridor dwars door Brabant gevormd, waarlangs een eindeloze stroom oorlogsmateriaal wordt aangevoerd. Onze kameraden houden stand bij Arnhem en Nijmegen. Ze hebben de tegenstanders, die snel wilden doorstoten naar het noorden en die de Rijn wilden oversteken, voorlopig kunnen tegenhouden. Maar voor hoe lang? Ja, beste jongen, wij gaan deze oorlog verliezen. Der Führer kan zo hard schreeuwen als hij wil. Het is alleen nog maar een kwestie van tijd."

„Mooi vooruitzicht," zei Karl somber. „En terwijl onze kameraden proberen de oprukkende geallieerden tegen te houden, staan wij hier een leeg huis, omringd door water, modder en bos, te bewaken! Wat heeft dat voor zin?"

„Dat weet ik niet en ik vraag het me ook niet af. Dat is één ding dat je maar gauw moet leren. Vraag je nooit af wat het nut is. Gewoon stomweg de bevelen opvolgen, dat is het beste."

„Wie heeft het eigenlijk in zijn botte hersens gehaald om hier een mitrailleurspost neer te zetten?"

„Bevel van hogerop," antwoordde de oudere soldaat kalm. „En je weet, bevel is bevel!"

„O, hou toch op. Ik haat deze Biesbosch!"

„Ik vind jou ook niet zo gezellig," constateerde Horst nogal droog. „Maar daarmee ben ik nog niet van je af."

De jongeman die vlak bij hen verscholen lag in het dichte griendhout, grinnikte onhoorbaar. Dirk Kromvoort, de Vos van de Biesbosch, lag daar al een hele tijd. Hij was tevreden over de gang van zaken. Hij was gekomen om de kleine motorboot van zijn vader mee te nemen naar zijn woonboot, het onderduikadres dat diep in het ondoordringbare griendland verborgen lag.

Het was niet de eerste keer dat hij in het geheim het verlaten huis van zijn ouders bezocht. Sinds de overval van SS-luitenant Bloks – beter bekend onder de naam de Zwarte Meester – en zijn WA-bende, was hij al een paar keer naar het huis teruggekeerd. Toen waren er steeds een of meer vrienden bij geweest. Chiel van Kerkum, Jan de Zoete en Piet van Dijk; vrienden op wie hij kon vertrouwen. Straks zou hij vast en zeker het verwijt krijgen dat hij zich niet aan de regels hield. Alleen op pad gaan mocht niet, ook al heette hij Dirk Kromvoort. Of juist omdát hij was wie hij was: de Vos van de Biesbosch! Wat hij nu deed, had hij de anderen altijd verboden, maar deze ene keer moest hij het alleen doen.

Die overval op het huis van zijn ouders kon hij maar niet vergeten*. Het was een persoonlijke kwestie geworden. Dat vernielde huis was van zíjn ouders. De boot die hij kwam halen, was van zíjn vader!

Nadat Klaas en Josien Kromvoort op het nippertje door de Vos en zijn vrienden onder de neus van de Zwarte Meester waren bevrijd, had de Zwarte Meester het huis, het berghok, de eendenkooi, alles op en om de Griendplaat overhoop laten halen. Vervolgens zorgde hij ervoor, dat de Duitsers er een mitrailleurspost plaatsten. Zogenaamd om de doorgang via het Gat van Van Kampen en hogerop, het Gat van de Noorderklip af te schermen. In werkelijkheid was het om te voorkomen dat de Vos de Griendplaat zou blijven gebruiken als tussenstop voor zijn acties op het vasteland.

Dirk had al gezien dat de boot er nog lag en intact was. Nu lag hij te wachten op het juiste moment om er dichter bij te komen.

Toen de maan even schuilging achter de wolken, rende hij gebukt langs de rand van het griendhout. Hij liep in een wijde boog, tot het huis zich tussen hem en de wachters bevond. Op dat punt kwam hij overeind. Even bleef hij staan luisteren of er geen onraad dreigde. Vervolgens stak hij snel het onbegroeide achtererf over, glipte langs de gevel van het huis en dook in het hoge riet langs het paadje naar de kleine aanlegsteiger. Hij keek naar rechts en zag de dreigende loop van de mitrailleur, die mat

**Zie: De Vos van de Biesbosch - Een verzetsgroep in actie*

glanzend boven de borstwering van zandzakken uitstak.

Voorzichtig boog hij het riet een beetje uit elkaar en gluurde naar de soldaten. Hij zag hun donkere silhouetten. Ze stonden nog steeds bij de berging. Een van hen, zo te zien de jongste, liep een beetje heen en weer, maar hij maakte geen aanstalten om zijn kant op te komen.

Dirk wachtte nog even. Toen verliet hij de beschermende rietkraag, stak het paadje over en verdween aan de andere kant in de hoge begroeiing, die doorliep tot aan de voet van het mitrailleursnest. Lenig en geluidloos legde hij de korte afstand af. Bij de verhoging bleef hij even wachten. Hij hield zijn adem in en luisterde. Het enige dat hij hoorde, was het fluiten van de wind, die nog sterker was geworden.

„Oké, dan moet het maar," fluisterde hij onhoorbaar. Hij veerde op en dook over de zandzakken van de borstwering. Even tekende zijn gestalte zich af tegen de nu bijna schoongeveegde avondhemel. Het volgende moment omklemde hij de mitrailleur en tilde die met een ruk van zijn voetstuk. Met het zware gevaarte in zijn armen liet hij zich meteen zakken.

Het bleef stil; de wachten hadden het te druk met zichzelf. Gejaagd nu, tastte Dirk met één hand in het rond. Hij vond wat hij zocht. De stalen kistjes met munitie stonden opgestapeld tegen de kant. Zijn handen sloten zich om de handgrepen. En zo kwam hij overeind. Met de zware mitrailleur in de kromming van zijn armen en de kisten als loodzware, onwillige gewichten schommelend in zijn handen. Zijn knieën kraakten. Dit red ik nooit, dacht hij. Voor ik tien meter heb afgelegd, ga ik door mijn rug! En het is zeker twintig meter. Laat ik het toch maar proberen. Hij begon te lopen, stap voor stap. Hij probeerde zich zo klein mogelijk te maken door zijn rug te krommen, maar daardoor werd de last te zwaar. Hij moest wel rechtop lopen, met het risico dat hij ontdekt zou worden.

Veilig bereikte hij het riet. De kisten sloegen bij elke stap tegen zijn benen. De mitrailleur dreigde zijn armen uit hun kom te rukken. Met opeengeklemde kaken ging Dirk door. Zonder te aarzelen, zonder te rusten. Het zweet stroomde van zijn voorhoofd.

Hij bereikte de kleine steiger en liet zich uitgeput op zijn knieën zakken. Toen hij de zware last losliet, was het alsof zijn armen gewichtloos waren geworden. Hij had het gevoel dat ze vanzelf de lucht in gingen.

Daar was het vertrouwde bootje van zijn vader. Gelukkig was het hoog water. De rand van de boot kwam boven de steiger uit. Hij ging aan boord, tilde de mitrailleur en de kisten van de steiger en legde die op de bodem. Hij maakte de boot los en wilde afduwen... maar bedacht zich toen. Uit zijn zak haalde hij een brok gips. Met een paar haastige halen zette hij zijn handtekening op de ruwe planken van het steigertje. De kop van een vos...

Grinnikend vertrok hij.

De hele operatie had maar een paar minuten geduurd. De kleine boot dreef vanzelf de smalle kreek uit en kwam in breder water. Dirk legde de riemen uit en zette koers naar het oosten, naar het Gat van de Honderd en Dertig en het uitgestrekte griendland daarachter. Zíjn griendland, zíjn veilige thuishaven.

Midden in het niemandsland tussen de polders Keizersdijk, Noordplaat, Turfzakken en Lange Plaat, lag de woonboot. Veilig en onvindbaar, in een smalle kreek, aan alle kanten omgeven door hoog griendhout. Binnen, in de kleine ruimte, zaten de lotgenoten van Dirk aan de ruwhouten tafel. Bij het licht van de petroleumlamp zat Josien Kromvoort, de moeder van Dirk, aan het hoofd van de tafel te breien. Tegenover haar zat Klaas, haar man, te knutselen aan een fuik. Links en rechts van haar zaten de vrienden van haar zoon, Piet van Dijk, Chiel van Kerkum en Jan de Zoete te kaarten.

„Ik wíst het wel," verbrak Piet plotseling de stilte. Hij gooide zijn kaarten voor zich op tafel. „We kennen hem toch? Als Dirk zegt dat hij even gaat rondneuzen, kun je op je vingers natellen dat hij iets van plan is."

„Ja, het bevalt mij ook helemaal niet," gromde Chiel. „Als een van ons zo'n streek uithaalde, zou hij hem stijf schelden. Niet alleen op pad! Kennelijk geldt die regel niet voor hem."

„Als hij terugkomt, zullen we hem eens flink op z'n donder geven," knikte Jan de Zoete.

„Als hij ooit terugkomt..." zei Josien bezorgd.

Klaas tilde zijn hoofd op en keek zijn vrouw aan. „Die komt terug." Hij zei het vol overtuiging, zonder enige twijfel. „Maar dat geeft hem nog niet het recht om ons zo ongerust te maken. Hij moet zijn hersens gebruiken, híj zeker!"

Er botste iets tegen de scheepswand.

„Als je even wacht, Kromvoort, kun je het hem zelf zeggen," grijnsde Piet. „Je verloren zoon is gearriveerd."

„Hela! Kan er iemand komen helpen?" klonk het van buiten. „Ik til me een ongeluk!"

Piet liep naar de deur, opende die en riep in het duister: „Jij bént een stuk ongeluk!"

Het antwoord was een vrolijke lach: „O, dank je wel! Wacht maar tot jullie zien wat ik heb meegebracht."

De klank van Dirks stem maakte de anderen nieuwsgierig. Piet ging naar buiten. Hij zag de bovenste helft van Dirk boven de gangboord van de woonboot uit komen. „Waar sta jij op?" vroeg hij verbaasd.

„Op de boot van mijn vader!" antwoordde Dirk triomfantelijk. „Waar is hij? Pa! Kom eens kijken wat ik heb."

Met een paar stappen was Klaas bij de reling. Toen hij Dirk op zijn eigen vertrouwde bootje zag staan, verdwenen al zijn boosheid en ergernis. Hij zei niets. De duisternis verborg de veelbetekenende blik in zijn ogen.

Met zijn hoofd in zijn nek keek Dirk naar hem op. „Nou pa, wat vindt u ervan?"

„Het... het is goed. Goed gedaan, maar onverantwoord!"

„Wat is er tegenwoordig nog wel verantwoord?" reageerde Dirk luchtig. Hij riep naar de anderen: „Zeg, help nou even. Ik heb nog iets." Hij bukte zich en tilde de zware mitrailleur omhoog, naar Piet en Jan.

„Hij heeft verdorie een heel kanon gepikt!" riep Jan en hij barstte in lachen uit. „Het wordt met de dag gekker."

„En gevaarlijker." Klaas pakte de munitiekisten die Dirk hem gaf, toch aan. „Leg die boot vast en kom aan boord. Je hebt heel wat uit te leggen."

Dirk ging als laatste naar binnen. Hij moest moeite doen om schuldbewust te kijken.

Jan en Piet legden de mitrailleur op tafel, zodat ze hem van dichtbij konden bekijken.

Josien schrok toen ze het gevaarlijke moordtuig zag. Ze was

langzamerhand wel aan het een en ander gewend geraakt, maar zoiets had ze nog nooit gezien. „Wat moet dat vreselijke ding hier?" vroeg ze aan haar zoon. „Ben je van plan daarmee te gaan schieten? Op mensen?"

„Op Duitsers, ma, en op landverraders. Maar ik beloof u, alleen als het moet!"

„Je bent niet goed bij je hoofd. Haal dat ding van de tafel. Weg ermee!"

„Hoe kom je daaraan?" vroeg Klaas dwingend.

„Dat zal ik vertellen," zei Dirk. „Maar mag ik eerst even gaan zitten en wat drinken? Ik ben bekaf."

De mitrailleur werd in het achterste gedeelte van de woonruimte onder een bed geschoven, samen met de munitiekisten.

Met een kop koffie in zijn hand begon Dirk aan zijn verhaal. Hij vertelde luchtig, alsof hij het over een onschuldige wandeling had.

Dirks vrienden luisterden, al minder geïrriteerd. Zij kenden de Vos. De ogen van zijn vader stonden achterdochtig. Hij wist ook heel goed dat zijn zoon grote risico's had genomen.

Alleen Josien liet haar bezorgdheid een beetje sussen door de luchtige woorden van Dirk. „Hoe zag het eruit?" vroeg ze gespannen, toen hij over hun huis begon. „Is alles er nog? Hebben de Duitsers er geen vreselijke zwijnenstal van gemaakt?"

„Je kunt zien dat u er al een tijd niet meer gepoetst hebt," grinnikte Dirk. „Maar dat kunt u zich wel voorstellen. Het huis staat leeg; er lopen alleen een paar Duitsers rond. En u weet, varkens zitten graag in de modder."

Josien had hem door. „Het is er dus een puinhoop!" stelde ze bitter vast.

„Het was te verwachten," knikte Klaas somber. „Maar eigenlijk is dat huis niet zo belangrijk. Als het zover is, knappen we het wel weer op."

„Als het zover is," herhaalde Jan de Zoete. „We zitten nu al vanaf begin september te wachten op de geallieerden. Ze zijn verdorie in Antwerpen. Ze liggen voor het Albertkanaal en komen geen stap verder. Als je buiten gaat staan, kun je hun geschut horen donderen."

„Op dit moment zijn ze zelfs vlak boven ons," zei Chiel. „Hoor maar!"

Vanuit het westen naderde inderdaad het monotone gebrom van honderden vliegtuigen, op weg naar Duitsland. Elke nacht, elke dag kwamen ze over, de bijna eindeloze eskaders zware bommenwerpers, met slechts één doel: het duizendjarige rijk van Adolf Hitler met de grond gelijk maken. Overdag de Amerikanen, 's nachts de Engelsen. Ze vlogen naar Duitsland en keerden na een paar uur terug. Ze lieten een spoor van vernietiging achter. Kapotgegooide steden, zoals Hamburg, Essen, Keulen. Honderden gedode mannen, vrouwen, kinderen. Het gruwelijke beeld van de oorlog. Er was maar één excuus. Hitler had deze ramp zelf over het Duitse volk afgeroepen. Er was geen keus; dit was de enige manier om een einde te maken aan zijn waanzinnige tirannie.

Klaas verbrak de stilte. „Ben je van plan die mitrailleur hier te houden?" vroeg hij aan Dirk.

„Weet u soms een betere bestemming? Ach ja, natuurlijk, de ondergrondse."

„Die zit dringend om wapens verlegen," zei Klaas bezorgd.

„Als ze straks echt in actie moeten komen, hebben ze alleen verouderde geweren en pistolen. En zelfs daar hebben ze er niet genoeg van."

„Geldt datzelfde ook niet voor ons?" vroeg Chiel van Kerkum voorzichtig.

„Natuurlijk niet! Jullie doen niet mee. Het is al erg genoeg dat Dirk jullie mee heeft weten te slepen in zijn levensgevaarlijke acties. Als het straks menens wordt, blijven jullie erbuiten!"

„Dirk heeft ons niet meegesleept," corrigeerde Piet. „Wij hebben onszelf vanaf het begin aangeboden; we hebben graag meegedaan. We weten heel goed hoe er over ons wordt gedacht bij de Landelijke Ondergrondse. Wij zijn in hun ogen een stel op hol geslagen knullen, die een eigen oorlogje voeren. Maar zo is het niet, en dat weet u best."

„Nu hoor je het ook eens van een ander, pa," reageerde Dirk. „Je weet dat Piet gelijk heeft. Oké, we hebben de zaken in het begin niet al te slim aangepakt, maar overal in het land zijn blunders gemaakt. Wij doen het op onze manier. We zijn een kleine groep, daardoor zijn we beweeglijk, ongrijpbaar. De Biesbosch is ons terrein. We steken de Amer over of de Nieuwe Merwede en we brengen mensen in veiligheid die kans lopen gegrepen te worden. Met die acties lopen we de ondergrondse niet voor de voeten. Wij helpen juist waar de ondergrondse het soms moet laten afweten."

„Maar jullie lopen af en toe ook gewoon in de weg," gromde Klaas, maar hij klonk wat milder. In zijn hart was hij best trots op wat de jongens al tot stand hadden gebracht. „Het Commando is niet echt blij met jullie. De manier waarop jullie actie voeren, is eigengereid en roekeloos."

„Wel allemachtig!" riep Dirk. „Weet u dan niet meer waarom ik in mijn eentje ben begonnen? De ondergrondse – en u voorop – wilde mij niet! Ik moest met m'n armen over elkaar blijven toekijken hoe anderen het werk opknapten. Logisch toch, dat ik op eigen houtje ben begonnen, en dat ik blij was toen Chiel, Piet en Jan erbij kwamen? We doen toch goed werk? Je weet toch van de familie Koperman? De vader, een belangrijk lid van de Joodse Raad, werd opgejaagd door de Zwarte Meester en zijn WA-bende. Als ze hem te pakken hadden gekregen, was hij er nu misschien al niet meer geweest. Hij niet, zijn vrouw niet, hun zoontje David niet..."

„En hun lieftallige dochter Judith niet," vulde Chiel laconiek aan.

„Ach man, krijg het heen-en-weer!" riep Dirk geërgerd.

„Rustig jongens," suste Josien. „Laten we in elk geval hier de vrede bewaren."

„Dat lijkt me geen slecht idee," glimlachte Klaas. „Nu het erop aankomt om binnen een paar weken, misschien wel binnen een paar dagen de moffen de genadeklap toe te brengen, weet het verzet niet goed raad met groepjes zoals jullie. Ze zijn bang dat jullie bij de bevrijding op vergelding uit zijn. Oog om oog, tand om tand! En dat mag niet gebeuren. Onze bevrijders moeten op een goed functionerende Binnenlandse Strijdmacht kunnen rekenen. Er moet een eenheid zijn, geen onoverzichtelijke bende van los opererende patriotten."

„Luister eens, pa," vroeg Dirk. „Vanaf het moment dat ik mijn studie in Tilburg heb moeten opgeven en naar huis ben gekomen, heeft u geprobeerd mij weg te houden van het verzet."

„Misschien had ik je er vanaf het begin bij moeten betrekken," gaf Klaas met moeite toe. „Zie het maar als bezorgdheid. Wij konden toch niet weten dat je zo eigenwijs zou zijn om in je eentje de strijd aan te binden met landverraders, zoals de Zwarte Meester? Jij en je vrienden hebben in korte tijd een goede naam opgebouwd. Iedereen in de omgeving vraagt zich af wie de Vos van de Biesbosch wel niet is. Geloof me, jullie hebben veel goed werk gedaan. Jullie hebben levens gered. Iedereen realiseert zich dat. Maar als het er straks op aankomt, is men jullie liever kwijt dan rijk."

„Het is allemaal politiek," riep Piet. „Terwijl wij hier elk moment gepakt kunnen worden of een kogel door ons lijf kunnen krijgen, zitten de grote heren in dat veilige Londen regerinkje te spelen. Begrijp het dan toch!" Hij keek zijn vrienden met een spottende grijns aan. „Wij lopen straks in de weg. Dus is de boodschap: zet ze maar op een zijspoor. Het zijn flinke jongens geweest die elke dag hun leven riskeerden, maar nu moeten ze terug in hun hok. Nu zijn de hoge heren weer aan de beurt."

„Piet, ik wil niet dat je zo praat!" zei Josien ongewoon fel.

„Laat hem maar," suste Dirk. „Hij weet niet wat hij zegt."

„Dat weet ik wel. Dat weet ik verdomd goed!"

Dirk stond op. „Laten we er maar over ophouden. Ik ga nog even naar buiten, naar de vliegtuigen kijken en naar de sterren. En dan slapen. Morgen is het weer vroeg dag."

„Als jij naar buiten gaat, ga ik met je mee," zei zijn vader. „Om in de gaten houden wat je uitspookt."

Even later stonden vader en zoon op het dek van de woonboot. De wind was gaan liggen. Een zachte bries ruiste in de toppen van het griendhout en speelde met het riet. Boven hen was een bijna wolkeloze hemel waarin de zwarte silhouetten van de overkomende vliegtuigen als grote, venijnige horzels stonden afgetekend. Aan de horizon, boven Dordrecht en iets verder naar het zuiden, bij de Moerdijkbrug, schenen schijnwerpers omhoog. Als een vliegtuig in zo'n felle lichtkegel gevangen werd, begon het afweergeschut zenuwachtig te blaffen. Maar de bommenwerpers trokken zich er niets van aan. Alsof ze gezamenlijk door een lange sleeplijn werden voortgetrokken, zo ronkten ze verder naar het oosten, recht op hun doel af.

„Het is fascinerend," verbrak Klaas de stilte, „maar ook angstaanjagend."

„Vind ik ook," zei Dirk. Hij aarzelde even en vroeg toen: „Pa, wat gaat er gebeuren? Ik... ik heb toch het recht om in elk geval een beetje op de hoogte te zijn."

„Ik denk dat je het meeste wel weet. Het Biesbosch Commando heeft een groot aantal krijgsgevangenen gemaakt. Die zitten op een paar schepen bij de Corneliapolder en het Ganzenest, en er komen nog steeds nieuwe krijgsgevangenen vanuit Drimmelen bij. Wat begonnen is als een actie om aan wapens te komen, begint een beetje uit de hand te lopen. Steeds meer Duitsers proberen naar het nog bezette noorden te komen. Ze willen door de Biesbosch en het Commando heeft er ondertussen al zeventig opgepakt. Verder wijst alles erop, dat het einde nadert. De spanning onder de bezettingsmacht en onder de collaborateurs is te snijden. Ze staan met hun rug tegen de muur, en dat weten ze. De kranten staan vol berichten over razzia's en executies. Er komen steeds meer transporten naar Duitsland van arrestanten, verzetsmensen en joden."

„Gelukkig zitten Judith en haar familie nu veilig in de

Achterhoek," verzuchtte Dirk.

„Nog wel," temperde Klaas het optimisme van zijn zoon. „Ik wil je niet ongerust maken, maar het schijnt dat er een uittocht op gang is gekomen van NSB'ers en andere landverraders. Ze trekken naar het noorden en het oosten van het land. Alles wat Duits is of pro-Duits, begint zich nu boven de grote rivieren te concentreren. Het lijkt wel of ons kleine landje in tweeën wordt gedeeld. In het kamp Amersfoort is ruimte gemaakt om belangrijke gevangenen uit het zuiden te herbergen. De Duitsers willen die mensen – burgemeesters, hoge ambtenaren, politici en bedrijfslieden – zo lang mogelijk in hun macht houden. Het wordt druk in het noorden."

Dirk kon in het donker de uitdrukking op het gezicht van zijn vader niet zien. Had er een waarschuwende klank in zijn stem gelegen? „En Richard Bloks, de Zwarte Meester?"

„Op dit moment niets van bekend. Volgens de laatste berichten zit hij nog in het hoofdkwartier van de Gestapo in Dordrecht. Maar je weet net zo goed als ik dat de situatie van de ene dag op de andere kan veranderen. Die Zwarte Meester van jou heeft nogal wat op zijn kerfstok. Sinds het oosten van Brabant bevrijd is, moet hij de hete adem van de rechter al in zijn nek voelen. Ik kan me niet voorstellen dat hij rustig gaat zitten wachten tot hij wordt gegrepen."

„Hij zal de kans niet krijgen om er tussenuit te knijpen!" zei Dirk grimmig.

„Zie je, dat bedoelde ik nou," merkte Klaas droog op. „Je vraagt je niet af of de verzetsbeweging al wat geregeld heeft om figuren als de Zwarte Meester te grijpen. Nee, jij, de slimme Vos, zal dat klusje wel even opknappen. Eigenwijs!"

„Ik heb nog een appeltje met die vent te schillen," zei Dirk.

„En hij met jou! Pas maar op, jij." Klaas haalde rillerig zijn schouders op. „Het wordt kil. We moesten maar naar binnen gaan. Ik denk dat de rest al slaapt."

Even later lag de woonboot stil en donker in het ondoordringbare waterland.

Dirk lag te woelen op zijn bed. Hij kon niet in slaap komen. Boven zich hoorde hij Piet in zijn slaap wat mompelen.

Rare vent eigenlijk, die Piet, dacht Dirk. Een vriend door dik en dun, al vanaf het moment dat ze samen op kamers waren gegaan in Tilburg. Een cynicus, die er plezier in had anderen op stang te jagen met zijn minachtende opmerkingen over de regering en het vorstenhuis. Maar in zijn hart was hij misschien wel de meest verbeten patriot van hen allemaal.

Een vrouwenversierder was hij ook. Dirk wist dat Piet geen echte losbol was, maar wel een levensgenieter. Hij kon nu eenmaal niet dag en nacht met zijn duimen in zijn oren over zijn boeken gebogen zitten. Zo kwam het wel eens voor dat hij andere jongens voor de voeten liep en hun vriendinnetje afpikte.

Dirk dacht aan die pijnlijke scène aan boord van de woonboot, toen hij gemerkt had dat Piet probeerde Judith te versieren. Toen was hij voor het eerst echt kwaad geweest op zijn vriend. Ze hadden zelfs gevochten. Achteraf gezien een overbodige vechtpartij, want Judith had alleen belangstelling voor hem, voor Dirk Kromvoort.

Judith! Dirk kreunde en gooide zich op zijn andere zij. Hij probeerde haar beeld uit zijn gedachten te verjagen. Hij probeerde zich te concentreren op de geluiden om hem heen. Hij luisterde naar Chiel en Jan aan de overkant van de kajuit, naar zijn vader en moeder achter het gordijn in de verste hoek. Maar zelfs dat gordijn deed hem aan Judith denken. Want zij had ook achter dat gordijn geslapen, wekenlang. Dat waren nachten geweest van stil verlangen.

O, als alles gewoon zou zijn, als er geen oorlog was. Als de joodse mensen nu eens niet werden opgejaagd door die vervloekte nazi's, opgepakt en weggevoerd naar kampen in Duitsland. Als dat er allemaal niet was, dan… dan… „Dan zou ik je waarschijnlijk nooit ontmoet hebben, Judith," mompelde Dirk slaperig.

„Huh! Wat is er? Is daar iemand?" Aan de overkant was Chiel overeind gevlogen.

„Hou je mond!" fluisterde Dirk. „Je maakt iedereen wakker, sukkel."

„O, ben jij het maar. Ik dacht dat ik iemand hoorde."

„Verkeerd gedacht. Ga nu maar slapen."

Dirk wachtte nog even om zeker te zijn dat Chiel weer sliep. Toen zwaaide hij zijn benen buiten boord en stond op. Op de tast vond hij zijn broek en trui en trok die aan. Hij schoot in zijn klompschoenen. Zonder geluid te maken ging hij naar buiten.

Daar was het rustig. Het luchtruim was leeg. De stilte tussen de heen- en terugreis van de bommenwerpers. Over een half uur, een uur, zou het opnieuw beginnen, dan waren ze weer op weg naar huis, naar Engeland. Verlost van hun bommenlast, met achterlating van de kameraden die neergeschoten waren, die het niet hadden gehaald. De piloten, de boordschutters, de waarnemers die erin slaagden zich met de parachute in veiligheid te brengen, zouden neerkomen op Duits gebied, in het bezette Nederland. Als ze geluk hadden, konden ze uit handen van de Duitsers blijven. Als ze tenminste op tijd opgepikt werden door de mannen en vrouwen van de ondergrondse... Als! Wat een naar woord. Je kon tegenwoordig bijna nergens meer zeker van zijn.

Dirk ging op het dek zitten, met zijn rug tegen de wand van de kajuit. Zijn gedachten tolden door zijn hoofd.

Wat had vader vanavond ook weer gezegd? De NSB'ers, die landverraders, werden bang en vluchtten naar het noorden en het oosten van het land. Naar het oosten. Daar zat Judith met haar familie. Dirk probeerde zichzelf te overtuigen dat ze volkomen veilig was op haar onderduikadres, maar hij was er niet gerust op. Hoorde hij maar eens wat vaker iets van haar. Nu bracht een boodschapper af en toe een brief via vele omwegen naar de internist Terborgh van het ziekenhuis in Dordrecht. Die zorgde dan dat de brief in handen kwam van de postbode uit Lage Zwaluwe. En zo kwam hij dan weer bij Van Lent op de Visplaat terecht, waar Dirk hem kreeg als hij toevallig langskwam. Soms was de brief meer dan een week onderweg, en met zijn antwoord ging het net zo.

Morgen ga ik weg, besloot hij. Ik moet weten hoe het er voor staat. Hij overwoog naar Martien van Lent te gaan. Die wist veel, maar alles wat hij wist, kwam altijd via-via. Ik wil zo dicht mogelijk bij de bron zitten, besliste Dirk. Ik wil er zeker van zijn dat de informatie die ik krijg, zo betrouwbaar mogelijk is.

Hij dacht even na en toen klaarde zijn gezicht op. Inspecteur Max van der Heyden van de gemeentepolitie in Dordrecht was de man die hij moest hebben! Samen probeerden ze de Zwarte

Meester en zijn bende zoveel mogelijk tegen te werken. De inspecteur zou hem wel kunnen vertellen wat er gebeurde bij de Duitse bezetters, vooral bij de diensten waar hij vaak mee te maken had. De Gestapo bijvoorbeeld, waarvan de Zwarte Meester een klein radertje was. Ja, dacht Dirk, morgen ga ik naar inspecteur Van der Heyden. Toen hij dat besluit eenmaal genomen had, stond hij op en ging terug naar bed. Binnen twee minuten sliep ook hij als een blok.

Op de Griendplaat had inmiddels de wisseling van de wacht plaatsgevonden. Er was groot tumult ontstaan, toen ontdekt werd dat de mitrailleur gewoon was weggehaald onder het wakend oog van de dienstdoende manschappen. De ontdekking dat ook de boot was verdwenen, had het nog erger gemaakt. De wachtcommandant had gevloekt en ze hadden een korte, zinloze klopjacht in de directe omgeving gehouden. De schildwachten hadden verschrikkelijk op hun donder gekregen. Ze zouden voor de krijgsraad worden geslingerd, ze zouden naar het oostfront worden gestuurd! De wachtcommandant had het hen met overslaande stem toegeschreeuwd. Tot een van de soldaten hem wees op een merkwaardige tekening op de planken van de kleine aanlegsteiger.

„Der Fuchs!" had de Feldwebel gestameld. „Het is de Vos weer geweest!"

2

„Jij bent absoluut onmogelijk, weet je dat!" raasde Piet van Dijk. „Je bent volkomen geschift! Wie bedenkt nou zoiets?"

„Ik!" zei Dirk met een glimlach op zijn gezicht. „Ik begrijp trouwens niet waar je je zo druk over maakt. We hebben dit toch wel vaker gedaan? Ik moet naar Dordrecht. Ik wil weten wat de Zwarte Meester in zijn schild voert. Uit wat ik zo links en rechts hoor, gebeurt er nogal wat. De wegen raken overvol met landverraders. Die willen er hals over kop vandoor, nu de toestand kritiek wordt. Ik wil weten of mijn vriendje, luitenant Bloks, ook plannen heeft in die richting, of dat hij de moed heeft om op zijn post te blijven."

„En hoe wil je dat uitzoeken?" vroeg Jan de Zoete. „Wilde je bij hem aankloppen en vriendelijk vragen om een gesprekje? Zou ik niet doen als ik jou was. Misschien heeft hij wel een ochtendhumeur."

„Ik wil gewoon weten wat er speelt," zei de Vos. „Niemand hoeft met me mee te gaan. Even goede vrienden. Breng me alleen naar de overkant van de Nieuwe Merwede, laten we zeggen tot bij de Elshoeve. En zorg dan dat jullie vanavond op dezelfde plek liggen om me weer op te pikken. Ik zoek de rest zelf wel uit."

„Natuurlijk laten we je niet in de steek!" zei Chiel. „Zijn we een groep of niet? Jij wilt naar Dordrecht en wij gaan met je mee. Maar dat wil niet zeggen dat we het zomaar met je eens zijn."

„Sorry, ik had beter moeten weten." Dirk liet zich achterovervallen in het hoge gras van de dijk die Polder Keizersdijk beschermde tegen het water van Keesjes Killeke.

Ze hadden niet lang na hun vertrek aan moeten leggen omdat het tij afnam. Daardoor liepen ze kans dat ze vast kwamen te zitten, want dieper vaarwater opzoeken bleek toch te riskant te zijn. Even verder naar het zuiden, tussen de Amer en de Annapolder en Moken, lag een onderdeel van de Kriegsmarine. Het waren Wit-Russen. Ze leken vrij gemoedelijk, maar ze hoorden wel degelijk bij de bezetters. Ze lagen daar niet voor niets en ze zouden zeker in actie komen als er plotseling een roeiboot met vier jonge kerels zou opduiken.

Zoals gewoonlijk was Klaas Kromvoort vroeg in de morgen vertrokken. Hij zei nooit waar hij heen ging. En als hij 's avonds terugkwam, vertelde hij ook niet waar hij was geweest of wat er was gebeurd. Een vaste regel, die hij tegenover zijn vrouw altijd verdedigde met de droge opmerking: „Hoe minder je weet, hoe beter het is."

Zodra Klaas weg was, had Dirk zijn vrienden voorgesteld wat rond te gaan neuzen in de polders, met het roeibootje. Ze waren erin getrapt. Toen ze in deze smalle geul lagen, volkomen beschut door een dicht woud van griendhout, had hij zijn eigenlijke plan verteld. „We gaan naar de overkant, naar Dordrecht," had hij gewoon gezegd, alsof het niets te betekenen had. „Er gebeuren daar dingen waar ik het fijne van wil weten. Zo meteen keren we dus en dan gaan we richting de Polder

Visplaat. We vermijden de Amer en gaan tussen de Noorder Jonge Deen en de Catharinaplaatjes naar de Polder Hoge Hof. Vandaar steken we de Nieuwe Merwede over."

Piet van Dijk reageerde fel. „Ik begin langzamerhand genoeg te krijgen van dat eigengereide gedoe van jou. Je mag dan wel de Vos zijn, maar daarom zijn wij je hondjes nog niet! Als je iets wilt ondernemen, zeg het ons dan meteen, zodat we er van tevoren over kunnen nadenken. Zet ons niet steeds voor het blok. Je gaat er te makkelijk van uit dat wij achter je aan blijven hollen. Dat hoeven we niet te pikken."

„Moet ik dan het risico nemen dat jullie nee zeggen?" vroeg Dirk.

„Ja, dat moet je!" merkte Jan op. „Sterker nog, je mag je zo nu en dan wel eens afvragen of wij geen ideeën hebben die net zo goed, of misschien zelfs beter zijn dan die van jou."

„Hebben jullie dan ideeën?"

Ze moesten toegeven dat dat niet zo was.

„Dus?"

„Jij krijgt, zoals altijd, weer je zin," knikte Jan. „Maar het is wel de laatste keer. En als er gedonder van komt, zal ik jou er altijd de schuld van blijven geven!"

„Oké," zei Dirk.

Na enige tijd stroomde het water de drooggevallen kreken weer binnen. Het spoelde over de slikken en zocht zich een weg door het moerassige land tussen de polders.

„Tijd om te gaan," zei Dirk. „Op naar Dordrecht!"

Het eerste gedeelte van de tocht verliep zonder problemen. Ze voeren langs de Honderd en Dertig. Toen ze het griendland achter zich lieten en de Polder Visplaat passeerden, dacht Dirk er even aan om Martien van Lent te bezoeken. Van Lent woonde met zijn gezin aan de westkant, buiten de polder. Als Dirk in de boot ging staan, kon hij het huis op de terp zien liggen. Daar vlakbij lag de eendenkooi en wat meer naar het zuidwesten was het Postgaatje*.

Hij bedacht zich. Van Lent en zijn vrouw zouden niet echt blij zijn als ze de jongens op klaarlichte dag op de koffie kregen. Een toevallig passerende patrouilleboot zou hen kunnen opmerken en dat was wel het laatste dat Van Lent kon gebruiken. Hij onderhield nauwe contacten met het Commando bij de Sint-Jansplaat en de Ordedienst en hij wilde geen aandacht trekken. Nee, dacht Dirk, we kunnen Martien beter met rust laten.

In plaats daarvan roeiden ze snel over het laatste stuk van het Zuidergat van de Vissen, gingen tussen twee dicht bij elkaar liggen plaatjes door, richting de Catharinaplaatjes. Vandaar ging het naar het Gat van de Kleine Hil, tot ze de Bandijk tussen de Polder Hoge Hof en de Catharinapolder bereikten. Ze stuurden de boot tot onder de dijk langs de Nieuwe Merwede. Daar legden ze aan. Terwijl de anderen nog even onder aan de voet van de Bandijk bleven liggen, begon Dirk tegen het steile talud omhoog te klimmen.

„Kijk maar uit dat er geen Duitse laars op je neus trapt!" grinnikte Chiel.

**Een smalle opening in de strekdam langs de noordkant van de Amer, waardoor de postbode voer. Op die manier hoefde hij niet eerst de hele strekdam langs te varen om de post in de noordelijker gelegen polders te bezorgen. Zie ook de kaart op blz. 238-239.*

„Dat kan alleen maar bij mensen met een uithangbord zoals jij!" kaatste Dirk terug.

Toch was hij erg voorzichtig, toen hij de dijk in beide richtingen af keek. Op verschillende plaatsen hadden de Duitsers wachtposten uitgezet en er werd druk gepatrouilleerd. Vanuit het noorden naderde een motor met zijspan. Dirk liet zich vlug zakken en wachtte tot het geronk van de motor was weggestorven. Opnieuw stak hij zijn hoofd boven de dijk uit, en zag dat die nu helemaal verlaten was.

Hij sprong overeind en rende naar de andere kant, waar hij zich onmiddellijk in het hoge gras liet vallen.

Even later volgden zijn vrienden.

Voor hen stroomde de Nieuwe Merwede en aan de overkant zagen ze de polder De Biesbosch.

„Eens kijken of ons pontje er nog is," zei de Vos. Hij doelde op het kleine bootje, dat ze voor deze gelegenheden verstopt hadden in een dicht bosje in het moerassige land tussen de Nieuwe Merwede en de Bandijk.

Het lag er nog. Ze trokken het uit de dichte struiken en maakten zich klaar voor de overtocht. Ze sloegen het afdekzeil opzij en haalden het vistuig voor de dag dat als camouflage moest dienen. Even later waagden ze zich in het open water. Elke argeloze voorbijganger zou hen voor vissers hebben aangezien.

De oversteek bleef altijd een groot risico. Dirk dacht als enige dat een bootje op klaarlichte dag minder argwaan wekte dan een heimelijke tocht in het donker.

Zijn vrienden vonden het een gevaarlijke onderneming, maar ze moesten toegeven dat hij tot nu toe altijd gelijk had gekregen. De spanning aan boord nam toe toen ze onderweg nog voor een passerende patrouilleboot moesten uitwijken. Maar de soldaten aan boord letten nauwelijks op hen.

Overmoedig stak Dirk zelfs zijn hand op om te groeten, en zijn groet werd nog beantwoord ook!

„Vandaag of morgen grijp ik je en smijt je overboord," gromde Piet. „Als je wilt spelen, speel dan met je eigen leven en niet met dat van ons!"

Ze bereikten de overkant zonder problemen en verdwenen in een van de smalle stroompjes die de polder De Biesbosch doorsneden. Ze koersten in noordelijke richting, en bereikten tegen de middag de buitenwijken van Dordrecht.

Er waren opvallend weinig uniformen te zien in de straten van de stad. De NSB'ers, de leden van de Nederlandse Waffen SS en andere zwarthemden vonden het blijkbaar verstandiger hun pakken op te bergen tot betere tijden. Als die ooit aan zouden breken.

Hier en daar liepen wat Duitse soldaten in groepjes van vier of vijf man, weliswaar bewapend, maar duidelijk niet fanatiek bezig met een of andere militaire opdracht. Ze liepen rond in een stad die eigenlijk al niet meer hun stad was, die morgen al ingenomen kon worden door hun tegenstander.

Dirk en zijn vrienden liepen onopvallend, twee aan twee, aan weerszijden van de straat. Ze passeerden een school in een buitenwijk van de stad. Op de speelplaats voor het schoolgebouw was een groot aantal Duitse soldaten bij elkaar gekomen. Het waren frontsoldaten van onderdelen die voor een korte adempauze in Dordrecht waren gelegerd om weer wat op sterkte te worden gebracht. Ze zagen er ellendig uit, vuil, moe en gelaten. Er waren gewonden bij, met verband om hun hoofd of met een arm in een draagdoek. Sommigen hadden een verbonden been; de opengescheurde broekspijp fladderde bij elke moeizame stap. Op hun gezichten stond te lezen dat ze wisten dat het tijdperk van het onoverwinnelijke Duitse leger snel voorbij zou zijn. Ze zaten in groepjes bij elkaar, met de rug tegen de gevel van het schoolgebouw, of leunend tegen het hek van de speelplaats.

Er stonden een paar kinderen bij dat hek, opgewonden en nieuwsgierig naar wat er zou komen, alsof ze naar een circusvoorstelling gingen.

Even voelde Dirk de neiging in zich opkomen om de kinderen weg te jagen, maar hij bedacht dat hij het ook gedaan zou hebben als kind. Oorlog leek voor deze kinderen een spel voor groten. Maar dat gold niet voor de kinderen die met hun ouders door de Duitsers werden opgejaagd en vervolgd.

Bij die gedachte klemde Dirk zijn kaken op elkaar. Hij zag de Zwarte Meester weer voor zich, die fanatieke mensenjager, in dienst van de nazi's, die Judith en haar familie zo genadeloos had vervolgd. Hij zou nu zeker proberen om zijn eigen huid te redden. Dat wilde Dirk voorkomen.

„We moeten opschieten," zei hij gehaast tegen Jan de Zoete die naast hem liep.

„Missen we anders de laatste trein?" vroeg Jan gevat.

„Nee, maar we moeten zorgen dat een ander zeker de laatste trein mist!" zei Dirk grimmig.

Toen ze in de buurt van het politiebureau kwamen, loodste Dirk zijn vrienden een steegje tussen de huizen in. „Jullie weten het, hè," zei hij. „Jullie twee, Jan en Chiel, gaan aan de overkant in de portieken van die huizen staan. Ieder van jullie houdt het linker- of rechtergedeelte van de straat in de gaten en blijft dat doen. Laat je nergens door afleiden. Piet, jij blijft op de stoep voor het bureau staan. Zorg dat je niet opvalt. Bemoei je met niets of niemand. Ga maar een sigaret staan draaien of zoiets. Als er onraad dreigt, geef je een seintje. Fluit maar op je vingers en maak dat je wegkomt. Bekommer je niet om mij. We treffen elkaar bij het bootje. Als het donker wordt en ik ben er nog niet..."

„Dan komen we je halen," zei Chiel.

„Nee! Dan gaan jullie naar huis. Dat is een bevel!"

„Ja, commandant!" zei Piet met een grijns.

„Het zal trouwens allemaal wel loslopen," ging Dirk verder. „Ik heb niet de indruk dat de SD nog overloopt van ijver. Afgesproken? Goed, daar gaat-ie dan!" Alsof hij een dringende boodschap had, stak Dirk met grote passen de straat over. Hij liep de treden voor het politiebureau op en ging naar binnen.

Een paar tellen later volgde Piet op zijn dooie gemak, met zijn handen in zijn zakken. Voor het bureau leek hij even te aarzelen. Hij bleef staan, zocht in de zakken van zijn colbertje. Hij begon een sigaret te draaien.

Dirk kende het politiebureau vrij goed. Hij was er al vaker geweest. Hij wist waar de kamers van de commissaris, de hoofdinspecteur én van inspecteur Max van der Heyden waren. Max was een goede kerel. Die had hem al heel wat informatie toegespeeld en er op die manier aan meegeholpen dat een aantal gezochte mensen uit de klauwen van de Gestapo kon blijven. Van de commissaris en de hoofdinspecteur was Dirk niet zo zeker. Hetzelfde gold voor een paar agenten en een brigadier. Dat waren mannen die in het begin van de bezettingstijd waren aangesteld. Ze waren misschien niet uitgesproken pro-Duits, maar wel erg volgzaam.

Daarom ging Dirk altijd voorzichtig te werk als het nodig was om contact op te nemen. In het verleden kon hij de inspecteur telefonisch thuis bereiken. Maar de laatste keer dat hij belde, had diens vrouw Jeanne hem in bedekte termen laten weten, dat hij dat in het vervolg maar beter kon laten. Ze had gedaan alsof ze hem niet kende en verwezen naar het bureau. Dirk had daaruit begrepen, dat de lijn afgetapt werd. Toen bleef er maar één weg over. Hij moest het risico van ontdekking nemen en de inspecteur persoonlijk opzoeken. Zoals nu.

Hij liep de hal door, de gang in. Hij kwam een paar agenten tegen, die druk pratend naar buiten gingen en niet op hem letten. In de deuropening van het wachtlokaal bleef Dirk even staan. Er waren maar een paar mensen in het vertrek. Achter de balie zat de agent van dienst en schuin achter hem zat een brigadier aan een schrijfmachine. Dirk kende de brigadier. Het was Stoop en hij was betrouwbaar. De agent was nieuw en dat betekende voor Dirk dat hij op zijn tellen moest passen.

Tegen de muur zaten een man en een vrouw van middelbare leeftijd. De man keek somber en hield de hand van zijn vrouw vast. In haar andere hand had zij een verfrommelde zakdoek, waarmee ze voortdurend haar roodbetraande ogen droogde.

Bij de balie stond een jonge vrouw. Ze was in gesprek met de agent van dienst.

Dirk zou dus op zijn beurt moeten wachten en daar had hij helemaal geen zin in. Als hij de aandacht van brigadier Stoop nu maar op zich kon vestigen. Maar die was te druk met zijn typewerk bezig en keek niet op of om.

Dirk aarzelde. Niemand scheen hem op te merken. Wat moest hij nu doen? Brutaal naar de balie stappen en om een onderhoud met de inspecteur vragen? Te gevaarlijk. Maar hij kon hier ook niet blijven staan tot hij een ons woog. Elke minuut was er een waarin er iemand kon binnenkomen die hem zou kunnen herkennen.

Dan maar met de botte bijl, dacht Dirk. Hij draaide zich om, stak de gang over en klopte op een deur. Hij wachtte niet tot hij uitgenodigd werd om binnen te komen. Hij deed de deur open, stapte naar binnen, en sloot de deur onmiddellijk achter zich.

Er waren twee personen in het vertrek. Achter het bureau zat inspecteur Max van der Heyden, die verstoord opkeek toen Dirk binnenkwam. Bijna tegelijkertijd verscheen er een waarschuwende blik in zijn ogen en Dirk begreep de onuitgesproken boodschap.

In de stoel tegenover het bureau zat een nog jonge man met een aktetas op zijn knieën. Aan alles was te merken dat hij nerveus was. Toen Dirk binnenkwam, had hij zich omgedraaid. Hij was half opgestaan uit zijn stoel en keek Dirk onderzoekend aan.

„O, pardon!" probeerde Dirk de situatie te redden. „Ik heb me in de deur vergist."

„Misschien ook niet," zei de inspecteur, met een ongedwongen glimlach. Hij kwam achter zijn bureau vandaan, liep naar Dirk toe en trok hem bijna de kamer in. „Ik ben inspecteur Van der Heyden. En jij bent...?"

„Eh... Jansen... Gerrit Jansen!" bedacht Dirk snel.

„Zie je wel! Dan ben je toch goed! Wij hadden toch een afspraak? Ga daar maar even zitten. Ik ben zo klaar met deze meneer."

Die meneer was inmiddels opgestaan. Hij klemde zijn tas onder zijn arm alsof hij bang was die te verliezen. „Ik geloof dat ik alles gezegd heb wat er te zeggen viel," zei hij aarzelend.

„Dat geloof ik ook," knikte de inspecteur. Hij wierp een vluchtige blik op de aantekeningen op zijn bureau. „Ik beloof u dat we er werk van zullen maken, meneer... Verstraten."

„Hoor ik dan hoe het afloopt? U begrijpt dat het heel belangrijk is voor mij."

„Dat begrijp ik volkomen en we vergeten het niet," verzekerde Van der Heyden hem. „Gaat u maar rustig naar huis. Alles komt in orde."

Toen de man langs hem liep, probeerde Dirk hem recht in de ogen te kijken. Hij ontweek zijn blik en glipte de kamer uit.

De deur ging dicht en meteen liet de inspecteur zijn officiële toon varen. „Dat was knap stom van je, slimme Vos," zei hij luchtig, terwijl hij zich in zijn stoel liet vallen. „Wil je op het einde van de rit nog gegrepen worden, of hoe zit dat? Dat komt hier maar plompverloren binnenvallen. Ik had de hele staf van de Gestapo wel op visite kunnen hebben!"

Dirk grijnsde: „Dat risico leek me niet zo groot. Wie was die vent?"

„Dat was een tipgever. Maar van een ander soort dan je in detectiveverhalen tegenkomt. Die vent is een echte rat. Een NSB'er die zijn eigen vrienden komt aangeven, om zelf op die manier buiten schot te blijven. Hij kwam vertellen hoe bepaalde, met naam en adres genoemde personen leegstaande huizen van gearresteerde joden leeghalen. Hij kwam, nota bene aangifte doen van diefstal! Maar meneer Verstraten heeft een beetje pech. In zijn ijver heeft hij er niet aan gedacht dat wij in de loop van de tijd een lijst hebben aangelegd van lieden zoals hij, die na de bevrijding onze speciale aandacht krijgen. En meneer Verstraten staat heel nadrukkelijk op die lijst. We zullen hem, als de tijd komt, wel even flink onderhanden nemen. Zo, en wat wil jij nu?"

„Kunt u dat niet raden?"

Max van der Heyden keek Dirk glimlachend aan en schudde toen langzaam zijn hoofd.

„Nog iets gehoord over de familie Koperman?" vroeg Dirk zo neutraal mogelijk.

„Je bedoelt een speciaal lid van die familie, neem ik aan?" veronderstelde de inspecteur, terwijl zijn glimlach breder werd. „Judith bijvoorbeeld?"

„U mag nooit meer raden!"

Van der Heyden schudde zijn hoofd. „Ik denk dat jij meer weet dan ik. Ik weet dat je met haar correspondeert, via dokter Terborgh van het ziekenhuis. Wat kan ik je dan nog vertellen?"

„Het was maar een vraag," zei Dirk. „Je kunt nooit weten. Er is trouwens nog iets."

„Dat dacht ik wel. Ik had je zelfs al eerder verwacht. Je bent op jacht, nietwaar?"

„Zo zou je het kunnen noemen, ja."

„Jij bent onverbeterlijk, weet je dat? Je geeft het niet op, hè? Kun je dat werk niet aan ons overlaten?"

„Nee! De Zwarte Meester is van mij!" zei Dirk fel.

„Ik begrijp dat je dat zegt. Maar je moet me niet vragen of ik dat wel verstandig vind."

„Sommige dingen kun je niet beredeneren."

„Misschien niet." De inspecteur haalde zijn schouders op. „Wat wil je weten?"

„Waar luitenant Bloks uithangt. Wat spookt hij op dit moment uit? Hebben jullie aanwijzingen dat hij, net als zoveel landverraders, de benen wil nemen?"

„Jammer genoeg weet ik bijna niets. Tenminste niet over dat laatste. Voor zover ik weet, zit hij nog steeds in het hoofdkwartier van de Gestapo. Maar hij heeft de laatste tijd niets meer gedaan. Misschien komt dat, omdat de Gestapo druk bezig is het hoofdkwartier te ontmantelen. Er is nog maar een klein onderdeel in het gebouw aanwezig, onder leiding van een kolonel... hoe heet die man ook weer..."

„Oberst Von Trotten?"

„Ja, dat is 'm. Het duurt niet lang meer, of die verdwijnt ook. Wat Bloks op dit moment doet, weet ik echt niet. Zoals ik al zei, laat hij zich niet zien. Het lijkt wel alsof hij zijn WA-mannen op non-actief heeft gesteld."

„Hij knijpt hem natuurlijk," stelde Dirk vast.

„Logisch! Maar wat hij gaat doen als de grote doorbraak komt, dat kan ik je met de beste wil van de wereld niet vertellen. We houden hem in de gaten, natuurlijk, maar het is allemaal erg onoverzichtelijk op het moment."

„Hij mag de kans niet krijgen om hem te smeren," zei Dirk, terwijl zijn ogen begonnen te schitteren. „Als het niet anders kan, knal ik hem overhoop. Hij heeft het verdiend, de smeerlap!"

„Dat doe je niet," wist Max zeker. „Zo ben je niet. Maar toch wil ik je wel waarschuwen. Laat je niet door persoonlijke wraakgevoelens meeslepen. Dat is niet goed. Het maakt je onnodig onvoorzichtig en roekeloos. Dat kan alleen maar fout gaan."

„Ik zal het onthouden." Dirk stond op.

„Wacht even," zei de inspecteur. Hij schoof een vel papier naar Dirk. „Nu je toch hier bent, moet je dit eens bekijken."

„Wat is dat?"

„Een dringend verzoek van de Gestapo om iemand te arresteren. Ja Dirk, de tijd is aangebroken dat ze óns die vuile karweitjes op willen laten knappen. In dit geval gaat het om een jongeman die, zo wil het verhaal van de Gestapo, een paar weken geleden een man heeft geholpen die aangevallen werd door een paar jonge NSB'ers. Hoe dan ook, onze held kreeg flinke klappen en werd gearresteerd. De zwarte jongens namen hem stevig onder handen en lieten hem na een paar dagen los. Nu de oorlog op zijn eind loopt, moeten wij voor de Gestapo dezelfde jongen opnieuw arresteren om hem weer te verhoren."

„Dat doe je toch gewoon niet?" merkte Dirk op.

„Zo eenvoudig ligt het niet." Inspecteur Van der Heyden wees op het papier dat Dirk in zijn hand had. „Wij kennen die jongen. Hij is van hetzelfde soort als die fraaie die hier net wegging! Het is een collaborateur. Begrijp je het een beetje?"

„Help me eens op weg," zei Dirk.

„Het is doorgestoken kaart. De vechtpartij met de NSB'ers, de arrestatie van deze zogenaamd behulpzame knul, het is allemaal in scène gezet. De Gestapo is niet gek. Ze weten dat er verbindingen bestaan tussen de politie en het verzet. Dus wat doen ze? Ze geven ons opdracht een man te arresteren van wie zij weten, dat hij aan hun kant staat. Nu gokken ze op twee dingen. Als we die jongen pakken en simpelweg aan de Gestapo uitleveren, is hun opzet mislukt..."

„Wat is die opzet?"

„De opzet, slimmerik, is dat we hem weliswaar oppakken, maar overdragen aan de ondergrondse om hem in veiligheid te brengen. Als we dat zouden doen, vangen ze twee vliegen in één klap. De jongen in kwestie zou meteen schoongewassen zijn en... hij zou zodoende kunnen infiltreren in het verzet!"

„Jemig, dat is wat je noemt geraffineerd."

„Dat dacht ik ook," knikte de inspecteur. „En daarom dacht ik, nu jij toch hier bent... Je bent niet alleen, neem ik aan? Nee, natuurlijk niet. Nu je dus toch hier bent, waarom..."

Dirk stak het papier al in zijn binnenzak. „Laat het maar aan ons over. Wij zullen die persoon wel in... eh... veiligheid brengen!"

„Goed nagedacht!" grinnikte Van der Heyden. „Ben je toch niet voor niets gekomen."

Dirk liep naar de deur, maar bleef met de klink al in zijn hand stilstaan. „Breng me op de hoogte als je iets meer weet van... nou ja, je weet wie ik bedoel!"

„Ik zal doen wat ik kan. Als jij mij belooft, dat je voorzichtig zult zijn. Ik ken, beter gezegd kende, te veel goede mensen die de bevrijding niet meer mee zullen maken."

Dirks gezicht betrok even, maar daarna zei hij met een knipoog: „We zien elkaar nog wel. Dag!"

De door de politie te arresteren jongen woonde in een rustige buitenwijk van de stad, in een straat met leuke huizen die allemaal op elkaar leken. De meeste hadden een uitspringend erkertje met een balkon op de eerste verdieping en een voordeur die een beetje verscholen lag in een portiek. Er liep een smal grindpaadje naar de deur van elk huis. Om in het voortuintje te komen, moest je eerst een hekje open doen.

Dirk had eerst alleen Jan de Zoete de straat in gestuurd, om de zaak te verkennen. Terwijl de andere drie op een bankje op de hoek zogenaamd even uitbliezen, wandelde Jan op zijn dooie gemak de straat in. Toen hij het huis passeerde van de jongen die ze moesten hebben, keek hij even vluchtig naar binnen. Er was niemand te zien. Wel stond er een herenfiets voor de deur. Dat verbaasde Jan nogal, vooral omdat het een bijna nieuwe fiets was, met alles erop en eraan. Heel opmerkelijk in een tijd waarin de meeste mensen hun fiets kwijt waren geraakt aan de Duitsers. Als iemand nog een rijwiel had, dan verdiende het die naam meestal niet meer. Dan was het een bizar bouwsel, met houten banden of met harde tuinslangen om de velgen. Of helemaal geen banden, zodat de berijder een enorme herrie produceerde als hij over de klinkers reed. Maar hier stond nog een echte fiets!

Het kostte Jan moeite nonchalant te blijven kijken en rustig verder te wandelen. Even verder zag hij een smal steegje tussen de huizen. Daar liep hij in en zo kwam hij achter de huizen terecht. Niets bijzonders te zien. Een vrouw haalde juist haar wasgoed binnen. Een paar meisjes waren aan het hinkelen en gingen netjes opzij om Jan door te laten. Hij keek weer naar het huis van de gezochte. De overgordijnen op de eerste verdieping waren dicht. Om de achtertuin stond een hoge schutting. Jan ging terug naar zijn vrienden en bracht verslag uit.

Dirk luisterde aandachtig en knikte toen langzaam. „Hm. Wat die fiets daar doet, is mij niet helemaal duidelijk. Als hij van de jongen is die we moeten hebben, begrijp ik niet waarom hij hem voor het huis laat staan. Het lijkt mij dus logischer, dat onze man bezoek heeft. Bezoek van iemand die er een volkomen gave fiets op na kan houden, zonder dat hij daar problemen mee krijgt. De vraag is: wie vallen er onder die categorie?"

„Nog een vriendje van de Duitsers?" suggereerde Jan. „Een beetje vervelend, want dan moeten we straks met twee kerels op pad."

„Nogal een wilde veronderstelling," vond Chiel. „Stel je voor dat die vent nergens iets mee te maken heeft. Kunnen we niet beter wachten tot die bezoeker weg is?"

„Daar heb ik geen zin in," zei Dirk. „Waarom zouden we tevreden zijn met één verrader, als we er misschien twee te pakken kunnen krijgen? Als de bezoeker achteraf zuiver blijkt te zijn, kunnen we hem altijd nog laten lopen. Met onze verontschuldigingen voor de vergissing. Bovendien trekt die fiets me wel aan! Die gaat, als het enigszins kan, ook mee. Als oorlogsbuit."

„Dan kunnen we beter ook maar meteen een vrachtwagen lenen!" zei Jan op sarcastische toon.

„Je kunt ook overdrijven," grinnikte Dirk. „Kom jongens, tijd voor het serieuze werk. Jan en Piet gaan door het steegje. Zorg dat er niemand via de achterdeur ontsnapt. Chiel, wij samen gaan door de voordeur naar binnen. Iedereen er klaar voor? Dan gaan we!"

Zonder te aarzelen gingen ze op het huis af. Dirk opende het hekje, liep naar de deur en trok aan de bel. Chiel was een beetje achtergebleven en stond nog op de stoep.

Bijna onmiddellijk klonken er voetstappen in de gang. De

deur werd geopend door een man van middelbare leeftijd. „Ja?" vroeg hij.

„Bent u Johan Borderwijk?" vroeg Dirk.

„Nee, ik ben zijn vader. Ik bedoel... Johan... Johan Borderwijk is mijn zoon," antwoordde de man zenuwachtig. „Wat moet u van hem?"

„Dat vertel ik hem liever zelf. Is hij thuis?"

„Dat weet ik niet. Wie bent u?"

„Recherche!" loog Dirk glashard. Hij keerde zich om naar Chiel, met een vlugge blik op de fiets. „Wacht hier!" Vriendelijk maar beslist schoof hij de man opzij en stapte de gang in.

„Hé! Moet dat zo?" protesteerde de man.

„Waar is hij?"

„Ik zei toch..." begon de man, maar op dat moment klonken er voetstappen op de overloop.

Dirk wachtte. De voetstappen stopten. Daarboven stond iemand te luisteren naar het gesprek in de gang.

Met drie, vier treden tegelijk vloog Dirk de trap op en kwam nog net op tijd om te zien hoe iemand een van de slaapkamers in vluchtte. Dirk wierp zich tegen de deur. Hij struikelde een schemerige kamer binnen en greep in zijn val de vluchteling vast. In een flits zag hij een tweede man in de hoek van de kamer.

„Potver...!" schreeuwde Dirk. „Chiel! Help me!" Dirk kon zijn gevangene, een stevige jonge kerel, nauwelijks in bedwang houden. Daardoor kon hij niet voorkomen dat de tweede man langs hen heen de kamer uit glipte. „Grijp hem, Chiel! Laat hem niet ontsnappen!"

De jongen die hij vasthield, had kans gezien om een arm los te wringen en haalde uit voor een klap.

Dirk zag de vuist komen, maar kon de klap niet helemaal ontwijken. Hij voelde hoe de knokkels langs zijn slaap schampten. Hij duizelde.

Even verslapte zijn greep en in dat ene deel van een seconde zag zijn tegenstander kans zich los te maken en op te springen. Dirk dook naar zijn benen, maar de jongen sprong achteruit. Dirk veerde overeind, ontweek handig een felle stomp die op zijn neus was gericht en plaatste kort achter elkaar een linkse directe op de kin en een spetterende swing tegen de slaap.

Het was alsof de jongen door de bliksem was getroffen. Hij stond stil als een zoutpilaar, keek Dirk met grote, verbaasde ogen aan en zakte toen in elkaar.

„Sorry!" zei de Vos. Hij rukte de gordijnen open en keek naar beneden. Hij zag Piet en Jan door het poortje in de schutting de tuin in komen, juist op het moment dat de tweede man het huis uit kwam. Hij had een pistool in zijn hand. Het was een burger, maar in zijn manier van lopen meende Dirk iets vertrouwds te zien. Hij gooide het raam open en schreeuwde: „Pas op! Hij is gewapend!"

De vluchteling keek om en op hetzelfde moment herkenden ze elkaar.

„De Zwarte Meester!" schreeuwde Dirk. „Jan! Piet! Pas op!"

Er klonk een schot en op hetzelfde moment floot de kogel langs zijn hoofd en sloeg in de muur achter hem. Dirk dook in elkaar en graaide naar het pistool in zijn binnenzak. Het ding bleef vasthaken in de voering van zijn jasje. Hij vloekte. Met een vluchtige blik op zijn roerloze slachtoffer op de grond, vloog hij de kamer uit en de trap af.

In de gang stond Chiel met een groot jachtgeweer in zijn handen, waarmee hij de oude Borderwijk in bedwang hield. „Hij wilde een zeef van me maken," legde hij uit.

Dirk had geen tijd om te reageren. Hij had het pistool nu te pakken en rende door de gang en de keuken naar achteren. Zonder na te denken dook hij naar buiten en rolde weg naar een paar vuilnisbakken, die tegen de schutting stonden.

Er gebeurde niets. De tuin was leeg. De Zwarte Meester en Dirks beide vrienden waren verdwenen.

Plotseling hoorde hij schoten aan de voorkant van het huis en hij rende terug, door de keuken en de gang, de straat op. Hij kwam net op tijd om te zien hoe zijn gehate tegenstander op de fiets sprong en wegsprintte.

„Bloks! Richard Bloks! Stap af, of ik schiet je ervanaf!" schreeuwde Dirk woedend. Hij richtte zijn pistool met gestrekte armen.

Dirk schoot niet. Hij kon het niet. In plaats daarvan liet hij moedeloos zijn armen zakken en keek werkeloos toe hoe de SS-luitenant de straat uitreed en om de hoek verdween.

Aan de overkant van de straat doken Piet en Jan op uit een paar struiken en kwamen naar hem toe rennen.

„Wat was er met jou aan de hand?" hijgde Piet.

Dirk keek hem aan en Piet schrok van de uitdrukking in zijn ogen. Hij zag een mengeling van machteloze woede, teleurstelling en angst. En Piet begreep het. Dirk had bijna iemand gedood. Het besef dat hij daar even, maar een fractie van een seconde, toe in staat was geweest, maakte hem duidelijk dat ook hij een moordenaar kon zijn. En dat verbijsterde hem.

„Hé, hoe zit het hier?" riep Chiel vanuit het huis. „Moet ik

„Bloks! Richard Bloks! Stap af, of ik schiet je ervanaf!" schreeuwde Dirk.
(blz. 45)

hier tot sint-juttemis met dat geweer in mijn handen blijven staan?"

Dirk kwam tot zichzelf. Er kwamen mensen uit de huizen; ze stonden op een afstand te kijken wat er allemaal gebeurde. „Naar binnen," zei hij kort.

In de huiskamer duwden ze de oude Borderwijk in een stoel. Dirk ging zijn gevangene halen, die juist bij zijn positieven kwam. Door het dreigende pistool hield hij zich koest en hij liep gehoorzaam de trap af. Dirk dwong hem ook op een stoel te gaan zitten. Hij gunde zichzelf even de tijd om na te denken.

Voor het raam aan de straatkant verschenen nieuwsgierige gezichten.

„We moeten weg," zei Dirk. „Maar hoe doen we dat? Dwars door de stad met een gevangene in ons midden? Dat lijkt me niet erg slim."

„Jullie zijn niet van de politie!" stelde vader Borderwijk verontwaardigd vast.

„Klopt," grijnsde Piet. „We zijn van de PTT en we komen een pakketje afhalen."

„Wat gaan jullie met Johan doen?"

„Dat hangt van hemzelf af," zei Dirk kort. „Als hij zich rustig houdt, overkomt hem niets."

„Moet je hem niet ondervragen?" vroeg Jan.

„Geen tijd voor. Over een paar minuten is de hele buurt afgezet door de Gestapo, daar kun je donder op zeggen! Hoe..."

„Ik weet wel iets," begon Piet aarzelend. „Een eindje verderop is een bakkerswinkel. Daar staat een bakfiets voor de deur."

Dirk begreep zijn bedoeling meteen en een vage glimlach gleed over zijn gespannen gezicht. „Ga halen," zei hij. „En blijf niet te lang weg. Intussen maken wij het postpakketje klaar."

„Wat zijn jullie van plan?" vroeg de gevangene, toen Piet weg was.

„We nemen je mee," antwoordde Dirk. „Als je doet wat we zeggen en je maakt geen stennis, dan zullen we je niet te hard aanpakken. We binden je natuurlijk voor de zekerheid wel vast!"

Ze konden geen touwen vinden, maar wel gordijnkoorden.

„Chiel, jij gaat naar buiten en stuurt die mensen naar huis. Zeg maar dat het beter voor ze is dat ze niet zien wat er gebeurt. Jan, help jij even om onze vriend te, eh ... verbinden?"

„Ik geloof mijn eigen ogen niet," riep de vader. „Mijn zoon die zomaar wordt meegenomen!"

„Die zoon van u is geen lieverdje en ik zal er voor zorgen dat u geen last meer van hem heeft." Dirk keek Chiel aan: „Stop die ouwe maar in de kelder."

Terwijl Chiel vader Borderwijk wegvoerde, boeiden Jan en Dirk hun gevangene, en stopte Dirk een prop in zijn mond.

Intussen liep Piet naar de bakker. Hij keek door de lege etalage naar binnen en zag dat er geen klanten in het buurtwinkeltje stonden. Hij opende de deur. Boven zijn hoofd kondigde een koperen bel zijn komst aan. Het winkeltje was leeg, net als de etalage. Geen koek of gebak achter het glas van de toonbank, geen brood op de planken langs de muur.

Een kleine vrouw kwam van achteren de winkel in. Ze keek hem met een vragende blik aan.

„Dag, mevrouw," zei Piet vriendelijk. „Ik heb een vreemde vraag. Kan ik uw bakfiets even lenen?"

„De bakfiets?" vroeg de vrouw achterdochtig. „Wat moet u

daarmee? Wie bent u? Ik ken u niet, u bent niet uit deze buurt."

„Dat klopt," gaf Piet toe. „Tja... hoe zal ik het uitleggen. Is uw man thuis?"

„Als u wel in de buurt woonde, zou u weten dat mijn man al maanden weg is." De achterdocht maakte plaats voor boosheid. „Maar misschien weet u dat wel net zo goed als de mensen uit de buurt. Bent u...?"

„Nee, nee, integendeel!" antwoordde Piet haastig, geschrokken doordat ze dacht dat hij een NSB'er was of iets dergelijks. Hij besloot open kaart te spelen. „Ik zal het uitleggen. Wij hebben uw bakfiets nodig om iemand te vervoeren."

„Iemand? Een mens? In onze bakfiets?" De vrouw begreep er nu helemaal niets meer van. „Wat een onzin!"

Piet zuchtte, hij kreeg haast. Hij moest haar in vertrouwen nemen. Hij vertelde vlug wat de bedoeling was.

De houding van de vrouw veranderde op slag. „Waarom zegt u dat niet meteen? Neem mee dat ding! Borderwijk gepakt, zei u? Eindelijk zijn verdiende loon, de smeerlap. Die knul heeft mijn man erbij gelapt, omdat hij brood zwart verkocht."

Met de verzekering dat ze de bakfiets in elk geval terugkreeg, rende Piet de winkel uit. Het was een typische bakkersfiets met een hoge houten bak, die van boven afgesloten was met een dubbele klep.

Toen hij triomfantelijk met de bakfiets voor de deur van de familie Borderwijk verscheen, lag er een keurige, menselijke rollade op het vloerkleed.

„Nog moeilijkheden gehad?" vroeg Dirk.

„Niet bepaald," grijnsde Piet. „Ik heb wel beloofd dat ze hem terugkregen."

„Dat is van later zorg," knikte Dirk. „Nu moeten we weg hier!"

De rollade werd in de bak geladen. Piet trok in het voorbijgaan nog een regenjas en een pet van de kapstok in de gang. Even later was hij een gewone, onopvallende besteller met een bakfiets. Hij stapte op de fiets en zei: „Jullie verspreiden je. Maar blijf wel in de buurt. Je weet nooit wat er gebeurt. Daar gaan we!" Hij reed weg, met de pet diep over zijn ogen.

Dirk en de twee anderen keken hem even na. Daarna deed Dirk zorgvuldig de voordeur dicht. Hij lette niet op het gebonk en de geschreeuwde protesten uit de kelder.

Twee straten verder passeerde Piet een legertruck die in volle vaart op weg was naar het huis van de familie Borderwijk. Er zaten gehelmde soldaten in met vastberaden gezichten en het geweer tussen de knieën. Piet glimlachte onder de klep van zijn pet. Ze zouden te laat komen.

Tijdens zijn rit met de stevig geboeide Johan Borderwijk als gedwongen passagier in de laadbak, stond Piet nog duizend angsten uit dat hij zou worden aangehouden, maar er gebeurde niets. Zonder problemen bereikte hij hun bootje, waar Dirk en zijn vrienden hem al stonden op te wachten.

Ze legden Borderwijk in het bootje en na het vallen van de avond brachten ze hem naar hun roeiboot aan de overkant van de Nieuwe Merwede.

Toen ze eindelijk de veilige woonboot bereikten, verwijderde Dirk zijn boeien. Daarna bond hij hem met de polsen aan zijn eigen bed. „Zolang je je koest houdt, zal je geen haar op je hoofd gekrenkt worden," zei hij op dreigende toon. „Maar als je vervelend gaat doen, als je bijvoorbeeld probeert te vluchten, sta ik niet meer voor je gezondheid in. Doe dus maar net alsof je thuis in je eigen bed ligt. Morgen praten we verder. Ik weet zeker dat je me dan heel veel gaat vertellen. Je bent er natuurlijk al achter, dat de opzet van je zogenaamde vlucht is mislukt. Het spelletje dat de Gestapo met de gemeentepolitie wilde spelen, gaat niet door. Bovendien heeft de aanwezigheid van die SS-luitenant, Bloks, je verraden. Niet slim! Je bent inderdaad bij het verzet terechtgekomen, dat wel, alleen moet je je plan om als infiltrant te opereren maar gauw vergeten. Wij weten dat je een ordinaire landverrader bent en zo zul je worden behandeld. Je mag nog van geluk spreken dat wíj je te pakken hebben gekregen. Er zijn hier ook mannen die er heel wat pittiger methodes op na houden. Uiteindelijk kom je daar wel terecht, maar eerst ga je mij alles vertellen wat je weet. Dat bespaart hun een hoop moeite. Ga nu maar slapen, je hebt morgen een vermoeiende dag!"

3

Dirk had een onrustige nacht. Het lukte hem niet in slaap te vallen. Hij was op het bed boven de gevangene gaan liggen, met zijn pistool onder zijn hoofdkussen. Op de tafel, in het midden van de kajuit, brandde het kleine pitje van de petroleumlamp. Dirk staarde in het zwakke licht en luisterde naar de rustige ademhaling van zijn vrienden om hem heen, van zijn ouders en van Johan Borderwijk onder hem. De gevangene sliep vast en Dirk nam hem dat, een beetje onredelijk, kwalijk.

Dirk lag met zichzelf overhoop. Hij kon het maar niet verkroppen dat hij dé kans om de Zwarte Meester uit te schakelen niet had benut. Niet had kunnen benutten, omdat hij geen koelbloedige moordenaar wilde zijn. Zijn vrienden hadden begrip getoond en er met geen woord meer over gesproken, tot zijn opluchting. Hij vroeg zich af wat zij gedaan zouden hebben in zijn plaats. Zouden zij de trekker wel overgehaald hebben?

Hij gooide zich op zijn andere zij, deed de verduistering voor het raam een beetje opzij en keek in de donkere nacht. Boven zijn hoofd ronkten weer de bommenwerpers, op weg naar Duitsland…

Ze stonden naast elkaar, de Vos van de Biesbosch en zijn gevangene, en keken uit over het grillige landschap. Borderwijk had nog geen woord gezegd. Hij had Dirk alleen maar minachtend aangekeken. Hij was duidelijk van plan om stommetje te spelen. Dirk had zich daar in het begin geen zorgen over gemaakt. Het kon kort of lang duren, zo had hij gedacht, maar Johan Borderwijk zou praten.

Dirk probeerde van alles. Hij was begonnen met een gemoedelijk gesprek aan het ontbijt, in het bijzijn van de anderen. Borderwijk at het brood en dronk de koffie die hij kreeg voorgezet, maar voor de rest hield hij zijn mond dicht.

Daarna had Dirk hem mee naar buiten genomen, weg van zijn vrienden en zijn ouders. In zijn binnenzak nam hij zijn pistool mee, maar Johan Borderwijk leek niet van plan gekke dingen uit te halen. Ze maakten een korte wandeling in de omgeving.

Borderwijk raakte duidelijk onder de indruk van de ondoordringbare woestenij waarin hij terecht was gekomen. Maar praten deed hij nog steeds niet.

Het kostte Dirk de grootste moeite zijn geduld te bewaren. Het ging hem niet zozeer om Johan Borderwijk zelf. Als er verder niets aan de hand was geweest, had hij hem nu al overgegeven aan de mannen van het Commando. Maar de man had informatie over de Zwarte Meester en die wilde hij hebben, al moest hij het uit hem trekken. Wat was hij van plan? Hij was in burgerkleren bij Borderwijk op visite geweest. Betekende dat dat hij op het punt stond te vluchten? En als dat zo was, waar wilde hij dan heen? Was Johan Borderwijk op de hoogte van de plannen van de Zwarte Meester? Waarschijnlijk wel. Alles wees erop dat ze elkaar goed kenden. Of was dat maar schijn? Was het misschien zo, dat de Zwarte Meester Borderwijk in burger had opgezocht om hem nog wat instructies te geven, nadat dat arrestatiebevel bij de gemeentepolitie was afgegeven? Wat voor spel speelde de Zwarte Meester?

Dirk vroeg en dreigde, maar de gevangene was zo spraakzaam als een baksteen. Dirk keek hem eens goed aan. Johan Borderwijk zag er een beetje sullig uit. Hij had een grof, breed gezicht. Zijn diepliggende, onrustige ogen werden overschaduwd door dikke, borstelige wenkbrauwen.

Hij zuchtte en keek om zich heen. Bij het groepje knotwilgen waar ze nu stonden, was de grond droog.

„Ga zitten," zei Dirk.

Borderwijk gehoorzaamde zwijgend. Hij sloeg zijn armen om zijn knieën en nam een wachtende houding aan.

„Jij werkt voor luitenant Bloks, hè?"

„Ik ben niet in dienst van luitenant Bloks. Ik ken hem, meer niet." Het was de eerste keer dat Borderwijk sprak.

„Dat kun je wel zeggen, maar uit je houding blijkt wat anders," siste Dirk. Hij was blij dat hij de jongen nu eindelijk aan het praten had gekregen. „Waarom praat je niet? Je hebt niets meer te winnen. Wie neem jij in bescherming? De Zwarte Meester, zoals wij Bloks noemen? Je kent hem, je zegt het zelf. Je bent zijn medewerker, zijn medeplichtige. Zo zie ik het, tenminste, en zo zullen de rechters het na de bevrijding ook zien. Daar zorg ik wel voor."

„Ik ben niks. Ik weet niks. Ik heb niks misdaan!" barstte Borderwijk los. „Je kunt me niks maken."

„Goeie genade, je bent wel dom, hè," zei Dirk, terwijl hij zijn stem liet dalen. „Je bent ongeveer net zo oud als ik, maar je hebt nu al geen toekomst meer. Jij gaat na de oorlog zo de cel in."

„Wat wil je nu eigenlijk?" onderbrak Borderwijk Dirk. „Zie jij je toekomst dan al voor je? Nou, dat is dan fijn voor je. Ik zie het wat somberder in."

„Dat begrijp ik. Maar het kan ook anders. Zie je, de Zwarte Meester heeft alles met mijn toekomst te maken. Ik wilde er niet over praten, maar er is een gezin dat ik uit de klauwen van die bloedhond heb kunnen houden. Op dit moment is dat gezin veilig. Ik moet er niet aan denken dat die smeerlap ontkomt, dat het hem lukt uit de handen van zijn rechters te blijven. Dat hij dan misschien op een andere plaats verder gaat met zijn vuile werk. Dat hij... dat hij het leven van die mensen toch nog in gevaar zal brengen. Daarom móét ik Richard Bloks hebben. Jij weet wat hij van plan is en jij gaat mij dat vertellen!"

„Die mensen, dat gezin, is dat familie van je?"

„Nee. Ze betekent... betekenen heel veel voor mij."

„Richard Bloks is wél familie van mij!"

„Wát zeg je?"

„Familie," herhaalde Johan. „Richard Bloks is mijn neef. Niet dat we elkaar vaak spreken. Onze familie vindt hem een druktemaker, een snoever, een mislukte onderwijzer. Niemand mag hem."

„En toch help je hem?"

„Ik moet wel!"

„Leg dat eens uit."

„We kwamen op een bepaald moment tot de ontdekking dat hij in Dordrecht was. We wisten niet dat hij bij de Nederlandse Waffen SS was gegaan. Mijn vader ontmoette hem toevallig in de binnenstad. Op dat moment hadden wij thuis veel problemen. Mijn vader had geen werk en ik... nou ja, ik kon elk moment opgepakt worden voor een paar kleine diefstallen in de winkel waar ik werkte. Richard hielp ons toen uit de problemen. Hij bezorgde mijn vader een baan bij de gemeentesecretarie. Hij wist te voorkomen dat ik gestraft werd en hij vond voor mij een baantje als klerk op een distributiekantoor."

„Aha, zit het zo," begreep Dirk. „Het vervolg kan ik wel raden. Als tegenprestatie moesten jullie een beetje verklikkerswerk gaan doen. Heb ik gelijk?"

„Ja, Richard had ons klem. We konden er niet meer onderuit."

Dirk wilde dat Johan nu door bleef praten. Hij haalde zijn pistool te voorschijn en ontgrendelde het.

„Wat is de Zwarte Meester van plan?" sprak Dirk op dreigende toon.

„Hij vertrekt vandaag of morgen naar het Oosten."

„Wat? Weet je dat zeker?"

„Hij heeft het mij zelf verteld. Hij gaat tegelijk met het laatste detachement van de Gestapo naar Overijssel of naar Drenthe, dat weet ik niet precies. Eigenlijk was dat niet de bedoeling. De Gestapo wilde hem achterlaten. Ze waren hem liever kwijt dan rijk. Maar hij heeft bij de commandant net zolang gezeurd, tot die ermee instemde dat hij meeging. Het wachten is alleen op een bevel van hogerhand."

„En dat komt zodra de geallieerden in aantocht zijn," begreep Dirk. „Wat ben ik toch stom geweest dat ik die kerel heb laten ontsnappen!"

„Wat gebeurt er nu met mij?"

„Voor jou is de oorlog afgelopen," antwoordde Dirk kort. „Als alles voorbij is, zullen anderen beslissen of je straf hebt verdiend en hoeveel."

Het bleef een tijd stil.

„Nou ja, dat was te verwachten." Johan Borderwijk keek berustend voor zich uit.

„Het is helemaal niet nodig dat jij hem naar het Commando brengt," zei Klaas Kromvoort tegen zijn zoon. „Morgenvroeg ga ik er zelf heen en dan kan ik hem meteen meenemen."

Dirk ging niet op het aanbod in, zelfs niet toen zijn moeder erop aandrong dat hij wat meer in de buurt van de woonboot zou blijven. „Ik kan niet wachten tot morgenvroeg," legde Dirk uit. „Als het waar is wat Borderwijk zegt, dan is elk uur, elke minuut kostbaar. De Zwarte Meester mag niet ontsnappen. Ik wil die verrader hebben!"

„Goed, jongen," knikte Klaas. „Ik begrijp het best. Maar jij hoeft toch geen onnodige risico's te nemen? Wij kunnen vanuit het Commando toch een seintje geven naar de verzetsmensen in de stad? Waarschijnlijk is dat zelfs niet nodig. Neem van mij aan dat de Zwarte Meester boven aan de lijst van gezochte personen staat. Op het moment dat de eerste Amerikaan, Canadees of Engelsman zijn neus laat zien, grijpen ze hem in zijn kraag."

„Dat is te laat!" riep Dirk. „Ze moeten hem nu grijpen, voor hij ontsnapt. Ik heb het één keer verprutst, dat mag geen tweede keer gebeuren. En vergeet niet dat hij mij bijna overhoop heeft geschoten. Nee, die rotzak laat ik niet meer lopen. Ik zal hem krijgen."

„Ik dacht dat je alleen maar Borderwijk naar het Commando wilde brengen?" merkte Piet van Dijk op.

„Dat wilde ik eerst ook, ja. Maar weet jij waar de familie Koperman nu is en hoe het met hen gaat?"

„Geen gekke dingen doen, Dirk!" Klaas greep zijn zoon bij

zijn armen en dwong hem om hem recht in de ogen te kijken. „Je hebt genoeg gedaan. Die Zwarte Meester pakken we ook zonder jou wel. Jij en je vrienden wachten hier, op deze veilige plek, tot alles over is. Begrepen?"

Dirk zuchtte diep. Hij seinde met zijn ogen om hulp naar zijn vrienden. Ze keken terug met neutrale, nietszeggende gezichten.

Alleen Chiel van Kerkum knipoogde naar hem.

„Pa," zei Dirk met moeite, „toen ik pas thuis was uit Tilburg, wilden ma en u ook dat ik het einde van de oorlog rustig af zou wachten, zonder een vinger uit te steken. Ik heb dat niet gedaan en daar heb ik geen seconde spijt van gehad. Vanwege Judith is alles nog weer anders geworden. De Zwarte Meester zal dit keer niet meer zo makkelijk van me afkomen. En wat u ook zegt of doet, het helpt niet. Ik doe wat ik vind dat ik moet doen. Het spijt me!" Hij draaide zich om en liep naar buiten om even alleen te zijn.

Bij de loopplank haalde Josien hem in. „Dirk, luister even naar me!"

„Ma, het heeft geen zin."

Ze stond voor hem en moest naar hem opkijken. „Ik... ik zal niet meer proberen je om te praten. Doe maar wat je moet doen. Het is nu eenmaal moeilijk voor ouders om te zien dat hun kind dingen doet waardoor hij misschien gevaar loopt. Al is dat kind al een volwassen man geworden. Beloof me dat je voorzichtig zult zijn; hou je vader en mij steeds in gedachten. Hopelijk zul je je dan niet in al te roekeloze avonturen storten."

Dirk sloeg zijn armen om haar heen en drukte haar stevig tegen zich aan. „Je bent dapper, ma," fluisterde hij, een beetje ontroerd. „Hoe zou ik jou ook maar één seconde kunnen vergeten?"

„Dus je gaat?" vroeg ze zacht.

„Ja, ik ga. Ik wil en ik moet."

„Ga dan maar."

Dirk drukte een kus op zijn moeders voorhoofd en liep weer naar binnen.

„Kom, we gaan," zei hij tegen Borderwijk. De jongeman kreeg een jekker aan en laarzen die hem een paar maten te groot waren. Toen was het zover.

Dirk keek zijn vader aan. Het gezicht van Klaas Kromvoort was gespannen, maar zijn ogen stonden milder. „Succes, jongen. Probeer contact te houden," zei hij. „Je weet wel hoe."

„Oké," knikte Dirk. „Dat doe ik zeker."

Hij keek naar zijn vrienden. Tot zijn verbazing stonden ze broederlijk naast elkaar voor de deuropening.

„Is er iets?" vroeg hij.

„Wij hebben besloten dat we je niet alleen laten gaan," antwoordde Piet van Dijk kalm en beslist. „Je kunt hoog en laag springen, maar je neemt ons mee."

„Geen sprake van. Laat me erdoor!"

„Nee!" zei Piet vastberaden.

„Het is te link," vervolgde Jan de Zoete.

„Alleen red je het nooit," vulde Chiel van Kerkum aan.

„Ik ben niet van plan om alles wat ik heb gezegd nog eens te herhalen," zei Dirk uiterlijk kalm. „Mijn besluit staat vast. Wat nu gedaan moet worden, doe ik alleen."

„Vergeet het maar!" zei Piet. „Wij blijven hier niet zitten afwachten. Je vergeet dat ik ook nog een appeltje heb te schillen met dat SS-luitenantje*."

„En wat dacht je van mij?" vroeg Chiel. „Ben je vergeten hoe wij met elkaar in contact zijn gekomen? Ik ga mee."

„Ik blijf hier ook niet," zei Jan de Zoete. „Jullie de dappere jongens uithangen en ik hier zeker aardappelen schillen en koffie zetten? Ik ben niet gek!"

Dirk stond perplex. Had hij het allemaal zo mooi voor elkaar, gooiden zijn eigen vrienden roet in het eten! Hij keek naar hun vastberaden, uitdagende gezichten en zuchtte. „Eigenwijs zootje landlopers."

„Dank je wel!" grijnsde Jan.

„En bijna net zo eigenwijs als jij," merkte Chiel op.

Dirk dacht na. Misschien was het wel niet zo verstandig om zich alleen in dit avontuur te storten. Misschien waren de risico's wel te groot. „Oké dan," zei hij uiteindelijk. „En nu weg bij die deur!"

Het drietal keek elkaar grijnzend aan. Ze deden een stapje opzij en lieten Dirk met zijn gevangene voorgaan, naar het dek. Ze stapten na hem in de roeiboot en vertrokken. Langzaam gleden ze door de smalle kreek. Aan het einde daarvan verdwenen ze achter het hoge gewas.

Josien en Klaas Kromvoort stonden aan de reling van de woonboot. Haar hand lag als een klem om zijn arm, alsof ze steun zocht. Ze had een angstig voorgevoel.

Dirk en zijn vrienden hadden besloten om de kortste weg te nemen naar het Ganzenest. Algauw merkten ze dat ze moesten

*Zie: *De Vos van de Biesbosch - Een verzetsgroep in actie*

opschieten: het tij nam af. Door al dat gepraat waren ze na hoogwater vertrokken. Dat brak hun nu op. Ze moesten een omweg maken, omdat een paar kreken al droog begonnen te vallen.

„Als dat zo doorgaat, zitten we vast voor we op de helft zijn," mopperde de Vos.

Johan Borderwijk hield zich heel rustig. Hij zat achterin en keek naar het indrukwekkende oerwoud dat langs hen heen schoof. Het scheen hem niets meer uit te maken wat er met hem gebeurde.

Intussen zat Dirk maar te piekeren over wat de Zwarte Meester van plan zou kunnen zijn. Bloks ging naar het Oosten. Daar was hij voorlopig nog veilig en er was nog genoeg werk voor figuren zoals hij. De twee concentratiekampen daar zaten bomvol. Ommen en Westerbork, die twee namen speelden voortdurend door het hoofd van Dirk. Judith zat met haar familie in de Achterhoek; hoe ver was dat van die kampen verwijderd? Hij schudde die gedachte van zich af en dwong zich al zijn aandacht op de route te richten.

Ze hadden nu het open water van het Gat van de Noorderklip bereikt. Dat was niet zonder gevaar, want ze konden elk moment op een Duitse patrouilleboot stuiten.

„Laten we maar aanleggen bij de Polder De Dood," merkte Dirk op. „Dan vallen we wat minder op. Vandaar lopen we over de dijk naar de Corneliapolder. Voor onze reisgenoot zal er wel een plaatsje zijn op een van de schepen met gevangenen."

Ze legden de boot aan in een smalle kreek, die nu bijna was drooggevallen. Nadat iedereen aan land was gegaan, trokken ze de boot zo ver mogelijk op het droge, tot hij schuilging onder riet en struikgewas. Toen gingen ze op pad. Het lopen viel hen zwaar: hun schoenen zakten diep weg in de nog natte, weke bodem en maakten zuigende geluiden bij elke stap.

Eenmaal op de smalle dijk liepen ze achter elkaar, terwijl ze de omgeving scherp in de gaten hielden. Alles was rustig. De koeien in de wei lagen lui in het gras hun laatste maaltijd te herkauwen. Bij de boerderij verderop waren een paar mensen aan het werk. Verder niets. Het oorlogsgeweld leek even iets van een andere planeet.

Toch bleven ze waakzaam. Vooral het open water aan hun linkerkant hielden ze scherp in het oog. Ze wisten dat er aan de overkant leden van het Commando zaten. In dit gebied bevonden zich de schepen waarop de laatste weken tientallen krijgsgevangenen bij elkaar waren gebracht. Langzamerhand naderden Dirk en zijn vrienden een punt waar een wachtpost van het Commando moest staan.

De stilte hield echter aan en dat bezorgde Dirk een onrustig gevoel. Ze waren nu zo dichtbij, dat ze wel opgemerkt moesten worden. De geul die De Dood van de Corneliapolder scheidde, stond bijna droog. Dirk liet zich van de dijk zakken en wachtte tot de anderen hem volgden. Ze keken naar de overkant, een afstand van een tiental meters. In het midden zocht een stroompje van een meter breed zijn weg naar het bredere water.

„Wat doen we?" vroeg Piet van Dijk.

„Ik weet het niet," aarzelde Dirk. „Er klopt iets niet. Waarom komt er niemand te voorschijn? Normaal gesproken moeten ze ons toch allang gezien hebben?"

„Als we er eens gewoon heen gingen," stelde Jan de Zoete voor. „Door hier te blijven staan, worden we geen steek wijzer."

„Ik wil wel vooropgaan, hoor," bood Johan Borderwijk grootmoedig aan. „Met mijn handen in de lucht, als jullie dat willen."

„Jij gaat nergens heen zonder ons," zei Dirk. „Kom!"

Ze verlieten de betrekkelijke veiligheid van de begroeide oever en liepen over het slik naar de overkant. Daar verdwenen ze even in het hoge riet. Ze klauterden tegen de dijk op tot ze een ongehinderd uitzicht hadden over de Corneliapolder. Met hun hoofden net boven de dijk keken ze naar de zuidoostkant van de polder, waar het schip met gevangenen verscholen lag tussen het griendhout.

„Daar is je ontvangstcomité," wees Chiel laconiek.

Drie mannen kwamen hun kant op. Ze liepen rustig door het gras. Ze droegen pistolen op hun heupen en een van hen had een karabijn losjes aan de riem over zijn schouder hangen. De mannen hadden hen kennelijk nog niet opgemerkt, want ze praatten zacht met elkaar en lachten. Toen ze zo dichtbij waren dat hun gezichten goed te zien waren, glimlachte Dirk. Hij hees zich verder op de dijk. Hij had een van de drie herkend.

Dirk ging rechtop staan en zwaaide met beide armen: „Hallo, Breker Ben! Kun je visite hebben, of heb je het te druk?"

Het drietal bleef verrast staan. De arm van de middelste ging aarzelend de lucht in. Toen zag hij pas wie er geroepen had. „Dirk Kromvoort! Wat kom jij hier in deze wildernis doen? Je komt als geroepen, man!"

„Dag, Ben," lachte Dirk. Hij vond het leuk dat hij de man, die in normale tijden als brandkastkraker door het leven ging, weer eens ontmoette. „Wij komen een logé brengen. Heb je nog plaats?"

Ben keek Johan Borderwijk zonder al te veel interesse aan en antwoordde nonchalant: „Plaats zat. Wat is er met hem?”

Kort legde de Vos uit wat de gevangene op zijn kerfstok had. Hij vergat daarbij niet de naam van de Zwarte Meester te noemen.

„Die had je beter te grazen kunnen nemen,” zei Ben.

„Dat was ook de bedoeling, maar het liep een beetje anders. Maar wat riep je daarnet ook weer? Ik kom als geroepen? Wat bedoel je daarmee?”

Het gezicht van Ben kreeg weer een vrolijke uitdrukking. Hij legde zijn handen op de schouders van Dirk en schudde hem zacht door elkaar: „Het is zover, jongen! Het Britse tweede leger en het Canadese eerste leger zijn over het Albertkanaal. Ze komen nu snel deze kant op! Er schijnen ook Poolse legereenheden bij te zijn. Volgens de laatste berichten zouden Roozendaal en Bergen op Zoom al bevrijd zijn!”

„Echt waar?” vroeg Piet van Dijk opgewonden, toen hij de woonplaats van zijn ouders hoorde noemen.

„Ik herhaal wat ik gehoord heb,” lachte Breker Ben. „En dat is nog niet alles. De Engelsen en de Nederlandse jongens van de Prinses Irene Brigade hebben Tilburg bereikt. Ze hebben het vliegveld van Gilze-Rijen ook al in handen! Begrijp je wat dat betekent, Dirk? De tang gaat dicht. Nog even en we kunnen al die verraders bij elkaar vegen en opsluiten!”

„Tenzij ze op het laatste moment de benen nemen,” merkte Chiel van Kerkum op. „Vergeet niet dat ze nog altijd twee kanten op kunnen. Naar het Noorden en het Oosten.”

„Dat zal niet gebeuren!” zei Dirk grimmig. Hij kreeg plotseling haast. „Ben, kun jij Borderwijk van ons overnemen? Ik... wij moeten terug, zo vlug mogelijk.”

„Ja, natuurlijk," antwoordde de Breker aarzelend. „Wat ben je van plan?"

„De Zwarte Meester grijpen voor hij hem smeert!"

„Hoe wil je dat aanpakken? Weet je waar hij is, welke kant hij uit zal gaan? Het is zoeken naar een speld in een hooiberg."

„Niet helemaal." Dirk streek door zijn haren en keek achtereenvolgens Piet van Dijk en Chiel van Kerkum aan. „Jullie moeten hier blijven. Als alles meezit, kunnen jullie over een paar dagen al naar huis. Jan en ik kunnen het samen wel af."

„En jij, wat ga jij doen?" vroeg Piet aarzelend.

„Jan en ik gaan naar de overkant, naar Sliedrecht en zo naar Dordrecht. Achter Bloks aan!"

4

In het hoofdkwartier van de Gestapo in Dordrecht heerste een koortsachtige drukte. In de hoge, statige kamers van het eens zo mooie herenhuis, trokken mannen van de SS en Gestapo-knechten in burger laden en kasten open. Ze kiepten de inhoud in dozen en kisten en droegen die naar de binnenplaats achter het huis, waar een hoog vuur brandde dat alle belastende papieren moest vernietigen. Andere kisten, voorzien van het hakenkruis en de Duitse adelaar, werden gevuld met kostbare zaken. Schilderijen werden van de muur genomen, dure beelden van kasten en sokkels gehaald en ingepakt. Alles wat maar enige waarde had en vervoerd kon worden, werd in de kisten gestopt. Daarna verdwenen ze in vrachtauto's, die voor de deur klaarstonden voor vertrek.

Op de tweede etage was een man alleen bezig. Hij was in burger en had een jas aan en een hoed op, alsof hij elk moment weggeroepen kon worden. De laden van zijn bureau stonden open. Die waren al leeg. Persoonlijke bezittingen zaten in een zwarte koffer die naast de deur op de grond stond. Richard Bloks keek naar de grote doos vol papieren op de tafel tegen de muur, alsof hij de afmetingen en het gewicht wilde schatten. Hij schudde langzaam zijn hoofd en liep naar de halfopen deur. „Werner!" riep hij de gang in.

Er kwam geen reactie van de SS'er die normaal als bode dienstdeed.

Bloks keek de lege gang in. Hij vloekte en bleef even besluiteloos staan. Toen wierp hij nog een blik op de doos, pakte de zwarte koffer en liep naar de trap aan het einde van de gang. Even later klopte hij aan bij het kantoor van het hoofd van de Gestapo, kolonel Von Trotten.

„Ja?" riep een geïrriteerde stem.

Bloks ging naar binnen en sloot de deur achter zich. Herr Oberst stond tegen zijn monumentale bureau geleund, met de armen over elkaar. Toen hij zag wie hem kwam storen, kwam er een geïrriteerde trek op zijn toch al kwade gezicht.

„Na, Bloks, was wollen Sie?"

„Herr Oberst!" Bloks was een ogenblik verrast, omdat hij zag dat de inrichting van de kamer nog onaangeroerd was. Hier geen spoor van een overhaaste verhuizing. „Ik zou graag met u mee reizen, zoals u heeft beloofd."

De kolonel lachte spottend: „So, wil je dat? Dat wordt dan een korte reis." Hij sprak kortaf, in gebroken Nederlands, dat vrij redelijk te verstaan was.

„Pardon?" De Zwarte Meester schrok, hij keek zijn superieur niet-begrijpend aan. „Wie meinen Sie... wat bedoelt u daarmee?"

„Ich... ik ga niet op reis. Ich muss hier bleiben!" Kolonel Von Trotten spuwde de woorden uit als een verwensing. „Opdracht van hogerhand. Volgens de heren in Den Haag zitten wij hier veilig boven de rivieren, de vijand komt er niet overheen! Er moet een klein detachement hier blijven. Ook van de Gestapo. Ze hebben mij aangewezen om leiding te geven aan dat detachement! Verdammt nochmal!"

„Aber... maar, hoe kom ik dan naar Overijssel?" stamelde Bloks.

„Sie? Dat zoek je zelf maar uit! Maar verdwijn! Loop naar de hel wat mij betreft. Dat is nog het enige lichtpuntje, dat ik door je aanstaande promotie van jou verlost wordt. Als je wilt, geef ik je zelfs nog een aanbevelingsbrief mee. Maar vertrek alsjeblieft. Ik heb je nooit gewild, dat weet je. Ga!"

„Maar ik begrijp het niet," aarzelde de Zwarte Meester. „Alles wordt vernietigd, er staan vrachtwagens klaar. Waarvoor is dat dan? Ik kan toch meerijden?"

„Voorzorgsmaatregelen," zei de kolonel. „Bovendien, wat opgeruimd wordt, is niet van mij." Hij liep naar de brede wandkast achter zijn bureau en opende die. De legplanken stonden vol ordners. „Ik blijf, mijn gegevens blijven ook. Als de leiding wil dat ik me opoffer voor de goede zaak, wil ik me kunnen verantwoorden. Dit archief bevat alle orders die ik heb ontvangen... en uitgevoerd. Ik heb in opdracht gehandeld. Befehl ist Befehl!"

„Met alle respect," vroeg de Zwarte Meester, „maar wat moet ik dan? Als ze mij pakken, zullen ze me als een verrader beschouwen."

„Dat ben je toch ook? Een miserabele landverrader," zei de Oberst op minachtende toon. „Je weet hoe ik over mensen zoals jij denk. Als het aan mij had gelegen, was ik allang van je af geweest. Ik help je niet om je huid te redden. Zoek zelf maar een oplossing."

„Dus ik mag niet...?"

„Als je in een van die auto's stapt, laat ik je eruit schoppen!"

Aan zijn gezicht was te zien dat de kolonel het meende. „Vertrek en ga ergens anders je fraaie strijd uitvechten. Ik wil je niet meer zien! Je brief ligt al klaar bij mijn secretaresse."

Even bleef Bloks nog staan, besluiteloos. Toen knikte hij langzaam, om aan te geven dat hij begreep dat hij werd afgedankt, als overbodige ballast. Zwijgend verliet hij het vertrek.

Als in trance liep hij door de lange, hol klinkende gang naar de achterkant van het gebouw. Hij moest voortdurend plaats maken voor de haastige militairen en burgers die heen en weer renden. Zij kregen de kans het zinkende schip te verlaten, besefte Bloks. Hij werd in een hoek getrapt als oud vuil. Zo was het altijd geweest, zijn leven lang.

Vroeger, toen hij nog als onderwijzer voor de klas stond, hadden zijn collega's hem ook al links laten liggen, omdat ze het niet eens waren met zijn methodes. De ouders van de kinderen hadden zich tegen hem gekeerd. Zijn familie had hem laten vallen, vrienden had hij nooit gehad. En nu, nu hij eindelijk iets opgebouwd had, nu hij in elk geval aanzien en ontzag had verworven, nu gebeurde het weer. Het was alsof er een vloek rustte op alles wat hij deed.

Maar hij gaf zich niet zo makkelijk gewonnen. En misschien had de kolonel wel gelijk. Misschien liep de geallieerde aanval wel stuk bij de rivieren. Bij Arnhem en Nijmegen kwamen ze ook geen meter verder.

De bedoeling was toch geweest dat hij naar Overijssel overgeplaatst zou worden, samen met de staf van de Gestapo? Daar zou hij een nieuwe, betere aanstelling krijgen. Goed, kolonel Von Trotten mocht hem dan verbieden met de rest mee te reizen, maar komen zou hij er toch wel.

Buiten gekomen bond Bloks zijn koffer op de bagagedrager van zijn fiets, die tegen de gevel stond. Nog even keek hij naar de vlammenzee midden op het grasveld. Er werden voortdurend documenten op gegooid. Even later liep hij de poort uit, zwaaide zijn been over het zadel en reed weg.

Zonder er eigenlijk bij na te denken, fietste hij door de stad, in de richting van het station, en vervolgens richting haven.

Daar was het druk. Bij de pont naar Zwijndrecht stond een lange rij auto's te wachten en hij zag gezinnen met handkarren, kinderwagens en fietsen, die waren volgeladen met meubels en keukenspullen. Dat ging allemaal richting Rotterdam en Bloks realiseerde zich, dat het misschien niet zo'n goed idee was om daar bij te gaan staan.

Hij dacht even na. Als hij nou zou proberen de pont en de weg richting Papendrecht te nemen om zo via Gorinchem in Utrecht te komen. Vandaar moest het toch vrij eenvoudig zijn om naar Overijssel te gaan? Liever was hij over Arnhem gereisd, maar dat was door de gevechten daar niet mogelijk. Bovendien was het Land van Heusden en Altena nog steeds een stevig Duits bastion en dat gaf een veilig gevoel in de rug.

Een half uur later stond hij op de pont die hem naar de overkant moest brengen.

De Vos van de Biesbosch en Jan de Zoete hadden afscheid genomen van Piet van Dijk en Chiel van Kerkum. Die twee wilden eerst niet weg, maar Dirk had hen toch weten te overtuigen. De overweging dat de familie van Piet in Bergen op Zoom al van de vrijheid genoot en dat het niet lang meer kon duren voor Drimmelen ook vrij zou zijn, zodat ook Chiel naar zijn ouders kon, had de doorslag gegeven.

Dirks plan was vrij eenvoudig. Jan en hij zouden proberen een of ander vervoermiddel te bemachtigen, waarmee ze zo snel mogelijk naar Dordrecht konden trekken. De mogelijkheid dat de Zwarte Meester waarschijnlijk al gevlucht was, wilde Dirk niet eens overwegen. Hij probeerde er ook niet aan te denken dat het bijna onmogelijk was zijn grote vijand in de stad op te sporen. Als hij daar nog was. „Als we er eenmaal zijn, zien we wel verder," zei hij tegen Jan. „Desnoods bestormen we het Gestapo-hoofdkwartier."

„Toe maar," grinnikte de onverstoorbare Jan. „Denk je eraan dat ik mijn familie ook nog ooit wil terugzien?"

Ze namen de roeiboot, die ze op de kop van De Dood hadden achtergelaten.

Piet en Chiel waren van plan gebruik te maken van het lage tij om terug te lopen naar de woonboot. Maar inmiddels was het opkomend tij geworden. Uiteindelijk besloten ze om met Breker Ben mee te gaan naar het Ganzenest, totdat ze weer lopend naar de woonboot konden.

Dirk en Jan gingen eerst tegen het tij in terug over het Gat van de Noorderklip tot bij de doorgang tussen de Petrusplaat en Polder Maltha. Het was zo'n zware klus om de roeiboot tegen de krachtige stroming in vooruit te krijgen, dat ze geen tijd hadden om erg voorzichtig te zijn.

„Niks aan te doen," hijgde de Vos. „Wie ons ziet, heeft ons nog niet. Gewoon doorgaan, Jan!"

„Jij hebt mooi praten," mopperde de zwoegende Rotterdammer. „Ik voel in mijn handen de blaren groeien als meloenen. Ik ben geen zoon van een griendwerker, zoals jij!"

„Nog steeds problemen? Dat valt me van je tegen. Ik dacht dat een havenwerker wel wat eelt op zijn handen had."

„Met jou valt niet te praten. Hoe ver nog?"

„Het ergste hebben we gehad. Hier rechts die kreek in. Dat is een link stukje; er zijn nogal wat zandbanken. Als we daar voorbij zijn, zitten we in wat dieper water. Dan zal het een stuk makkelijker gaan."

Ze werden door het tij bijna de kreek in geduwd. De kiel van de boot schuurde verschillende keren over de bodem, maar ze liepen nergens vast. Toen ze weer in breed open water kwamen, zuchtte Jan van verlichting. Hij leunde even achterover om zijn schouders wat te ontspannen.

Ze voeren, nu met het tij mee, langs Polder Oude Hardenhoek naar de geul tussen Polder Hardenhoek en Polder Happen.

„Kom op, Jan. Nog even en we staan aan de Nieuwe Merwede."

„En dan?" vroeg Jan, terwijl hij de riemen weer in beweging bracht. „Hoe wil je ongezien aan de overkant komen?"

„Niet aan denken," wuifde de Vos weg. „Ik weet dat er een Duitse post is, even stroomopwaarts. Wij gaan een stukje de andere kant uit, naar de Oude Kat. De oever is daar dichtbegroeid. Het zal best gaan."

„Vooruit dan maar weer," berustte Jan.

Het wassende water begon tot rust te komen en de oversteek van de Nieuwe Merwede verliep zonder problemen. Ze kwamen niet één patrouilleboot tegen. Aan de overkant, bij de Jonge Neel, waren mannen aan het werk aan de beschoeiing, onder toezicht van een groepje Duitse soldaten. Ze keken ongeïnteresseerd naar de roeiboot die voorbijgleed.

Toen ze de monding van de vaargeul naast de Oude Kat bereikt hadden, vroeg Jan: „Wat nu?"

„Even verderop woont een goede kennis," antwoordde Dirk. „Misschien kan die ons verder helpen."

Joris Tiemissen was een kleine boer, die zich voornamelijk bezighield met veeteelt. Zijn erf lag aan het water en hij bracht de melk elke morgen met een platschuit naar Sliedrecht, naar de melkfabriek.

Dirk meerde de roeiboot af aan de kleine steiger. Ze gingen aan wal en liepen naar het achterhuis. De deur werd bijna onmiddellijk geopend. Het was de boerin, die afwachtend in de deuropening bleef staan.

„Goedendag!" groette Dirk, terwijl hij zijn hand opstak. „Is Joris thuis?"

„Die is thuis," knikte ze. Maar ze bewoog zich niet.

„Wilt u hem zeggen dat Dirk Kromvoort er is?"

De boerin tuitte even haar lippen, alsof ze over dat verzoek na moest denken. Toen knikte ze: „Kom er maar in."

Binnen, in de lage woonkeuken, zaten een paar kinderen op de grond te spelen. De twee vrienden moesten gaan zitten. Eigenlijk wilde Dirk dat liever niet. Hij wilde verder, maar hij kon moeilijk weigeren zonder de vrouw te beledigen.

„Ik zal Joris even halen," zei ze.

Terwijl ze weg was, keek Jan eens rond. „Niet bepaald groot hier," merkte hij op.

„Goeie mensen," zei Dirk neutraal.

„Mag ik vragen hoe je met hen in contact bent gekomen?"

„Ik heb nog nooit contact met ze gehad," antwoordde de Vos tot verbazing van Jan. „Maar ik weet wie ze zijn. Ze hebben al heel wat onderduikers naar de Biesbosch geholpen. Ik ken hun naam, omdat ik die verschillende keren heb horen noemen door Martien van Lent van de Visplaat en door mijn vader."

„Deze mensen, in het verzet?" vroeg Jan ongelovig.

„En hoe. Je zou je oren niet geloven als ik je alles vertelde."

De deur naar de stal ging open en Joris Tiemissen kwam binnen. Een kleine, pezige man, goed veertig en toch al een beetje kromgegroeid door het zware werk. „Kromvoort?" vroeg hij.

„Dírk Kromvoort."

Tiemissen knikte. „Ik heb al het een en ander over je gehoord. Wat kan ik voor je doen?"

„Wij hebben vervoer nodig om zo snel mogelijk naar Dordrecht te gaan. Weet u misschien een mogelijkheid?"

„Vast wel. Wanneer moet je daar zijn?"

„Zo vlug mogelijk; in elk geval vandaag nog."

„Da's kort dag. Nou, we zullen zien. Kom maar mee."

Ze volgden de boer naar een gammel berghok dat tegen de achtergevel gebouwd was. In de schemerige, kleine ruimte, achter een hoop rommel, trok Tiemissen een dekzeil weg. „Kunnen jullie hiermee omgaan?"

Het was een Duitse legermotor.

„Hoe komt u daar nu aan?" bracht Dirk met moeite uit.

„Hij stond langs de weg, zonder benzine," legde Joris uit.

„Onbeheerd?"

„Nee, dat niet. Er stonden een paar moffen bij die naar het Noorden wilden," antwoordde de boer laconiek. „Ik heb ze mee naar huis genomen en de weg gewezen... Ze zitten nu bij de rest op het Ganzenest!"

„U hebt twee Duitsers gevangen genomen, naar de overkant

gebracht en hun motor ingepikt?" vroeg Jan. „Dat is een goeie!"

„Ik deed het niet alleen," zei Tiemissen bescheiden.

„Kan me niet schelen, ik vind het fantastisch!"

„En de motor?" vroeg Dirk ongeduldig.

„Rijklaar. De tank zit helemaal vol," zei de boer. Hij bekeek het tweetal eens. „Maar zo kunnen jullie de weg niet op. Binnen heb ik nog wel wat hangen dat jullie kunnen aantrekken."

Tien minuten later snorde een zware motor over de klinkerweg naar Dordrecht. De berijder en de duopassagier waren gekleed in lange, leren jassen met bijhorende leren mutsen en grote stofbrillen.

Op dat moment stond Richard Bloks met zijn fiets langs dezelfde weg en schopte driftig tegen een lekke achterband. Tot nu toe was zijn vlucht zonder problemen verlopen, maar dat ene geniepige, scherpe steentje had alles bedorven. Hij keek de weg eens af, die zich boven op de dijk voort slingerde in oostelijke richting. Er was geen verkeer te zien. Hij keek vervolgens in de richting waar hij vandaan was gekomen en zag in de verte een auto naderen. Het was een oud vrachtwagentje met open laadbak, maar alles was beter dan hier op deze winderige plek te blijven staan.

De Zwarte Meester liet zijn fiets vallen en ging midden op de weg staan. Met zijn rechterarm gebaarde hij dwingend tot stoppen.

De chauffeur van het vrachtwagentje minderde vaart en stopte naast Bloks.

Die liep naar de wagen toe, toen hij achter zich het geluid van een motor hoorde. Hij draaide zich om en zag in de verte een motorfiets naderen. Er zaten twee mannen op de motor en de duopassagier hing over de schouder van de bestuurder, alsof hij hem iets wilde zeggen.

„Zeg, wat gaan we doen?" vroeg de vrachtwagenchauffeur ongeduldig.

Bloks zag dat de bijrijder op de voetsteunen ging staan. Hij zwaaide wild met zijn armen en schreeuwde. De Zwarte Meester zag alleen maar twee hoofden, onherkenbaar door de grote stofbrillen en de leren mutsen. Toch rinkelde in zijn hoofd een alarmbelletje, luid en duidelijk.

Hij reageerde snel. Zijn hand schoot in zijn binnenzak. Hij rukte het portier van de vrachtwagen open en duwde de chauffeur een pistool onder zijn neus. „Geen vragen! Rijden, als je leven je lief is!" De Zwarte Meester sprong naar binnen. „Rij die motor van de weg! Snel!"

„Allemachtig," zei de man achter het stuur geschrokken. Hij zette de auto weer in beweging.

Toen ging alles heel snel. Dirk had uit de verte gezien hoe een man een vrachtwagen aanhield. Jan de Zoete had de man herkend, eerder dan Dirk. „Bloks probeert 'm te smeren!"

„Hij stapt in. Stop hem. Stop die vrachtwagen!" schreeuwde Dirk boven het geweld van de motor uit en gaf vol gas. „Schiet! Schiet op de banden, Jan!"

„Ik doe mijn best al! Verdomme!" riep Jan gejaagd, terwijl hij aan de vreemde sluiting van de jas trok om bij zijn vuurwapen te komen.

Dirk reed midden op de weg, zonder te letten op gevaar. Ze hadden 'm! Door stom toeval kwamen ze elkaar hier tegen. Hij mocht niet ontkomen.

De vrachtwagenchauffeur zag het gevaar van een frontale

botsing en wilde uitwijken. Toen voelde hij de loop van het pistool tegen zijn slaap.

„Rechtdoor!" commandeerde de Zwarte Meester grimmig.

„Dan rij ik ze dood!" riep de man in paniek.

„Des te beter!"

Op de voortrazende motor riep Jan: „Dirk! Hij gaat over ons heen!"

Dirk reageerde niet. Hij had de neiging zijn ogen te sluiten en blindelings door te rijden. Als een onstuitbare muur van staal kwam de vrachtwagen op hen af. Hij zag het ontzette gezicht van de chauffeur met daarnaast de grimmige tronie van Bloks... Dirks mond opende zich voor een schreeuw...

Op het laatste nippertje draaide de wagen iets naar rechts. Bijna tegelijk gooide Dirk de motor de andere kant uit; hij voelde hoe het stuur uit zijn handen werd geslagen. De motor schoot onder hem vandaan. In een vonkenregen stuiterde het voertuig over het wegdek. Dirk kreeg even het gevoel dat hij door een onzichtbare hand werd opgetild en meters verder neergegooid. Versuft bleef hij liggen, terwijl in de verte het geluid van de vrachtwagen wegstierf.

Het duurde even voor hij weer bij zijn positieven was. Er ging een stekende pijn door zijn schouder toen hij op zijn geschaafde, bloedende hand steunde. Die was flink gekneusd, begreep hij. De motor was van de weg geschoten en lag onder aan de dijk. Jan de Zoete zat een paar meter bij hem vandaan in de berm, met zijn hoofd in zijn handen. Ongerust stond Dirk op en wankelde naar hem toe. „Jan? Hoe is het? Heb je iets?" vroeg hij.

„Een muggenbeet," zei Jan, terwijl hij zijn hoofd optilde.

Vanonder de leren kap sijpelde bloed over zijn voorhoofd, langs zijn neus, en drupte van zijn kin op zijn borst. „Ik denk dat er wel een deuk in het spatbord van die kar zit," zei hij moeizaam.

„Ga liggen," gebood Dirk bezorgd.

„Heel graag," gehoorzaamde Jan en hij liet zich willoos in de armen van zijn vriend zakken.

„Jan?" vroeg Dirk ongerust. „Hé, makker, wat doe je nou? Zeg eens wat!"

Maar Jan reageerde niet. Hij was bewusteloos.

Voorzichtig nam Dirk de motorpet van Jans hoofd. Hij huiverde even toen hij door het dikke haar een grote, kleverige wond boven de linkerslaap zag. Met regelmatige, kleine golven kwam er bloed uit. Dirk trok zijn jas uit en legde hem opgevouwen onder het hoofd van Jan. Met zijn zakdoek probeerde hij het bloed te stelpen, maar dat was onbegonnen werk. Hij rukte zijn sjaal af, legde zijn zakdoek zo goed mogelijk op de wond en bond de das om Jans hoofd.

Jan opende zijn ogen en keek hem wazig aan. „Wat doe je?" vroeg hij.

„Blijf rustig liggen," zei Dirk sussend. „Je hebt een gat in je hoofd. Niet ernstig, maar er moet wel een dokter bij komen." Hij stond op en keek rond. „Maar waar in vredesnaam vind ik hier een dokter?"

„Je moet niet overdrijven," hield Jan zich groot en hij probeerde te gaan staan. „Ik voel me best." Maar het bleef bij een poging. Hij kreunde en liet zich gauw terugzakken.

Wat nu? Jan moest geholpen worden, maar de hele omgeving leek uitgestorven. De motor! Als hij de motor weer op de weg kon krijgen, kon hij Jan misschien wel vervoeren. Hij liet zich van het talud van de dijk glijden, waarbij hij de pijn in zijn schouder moest verbijten. Hij probeerde de motor overeind te zetten. Algauw zag hij het onmogelijke van zijn poging in. Hij klom weer omhoog en keek naar Jan, die onrustig met zijn hoofd bewoog. Hij vloekte.

Toen hij de weg weer af keek, zag hij in de verte een boerenkar naderen, een platte kar met een groot, breed paard ervoor.

„Wacht hier," zei hij tegen zijn vriend, alsof er enige kans bestond dat Jan weg zou lopen. Hij begon de kar tegemoet te rennen. Hij zwaaide en schreeuwde om de aandacht te trekken, maar óf de boer op de kar sliep, óf hij trok zich van de druktemaker op de weg niets aan. In elk geval bleef het paard in dezelfde rustige gang voortstappen. Dirk moest een eindeloze afstand afleggen, voordat hij binnen gehoorsafstand was. „Hallo!" riep hij zo hard hij kon. „Er ligt een gewonde langs de weg! Wilt u me helpen?"

„Wat zeg je?" De boer had zich opgericht en keek verschrikt naar de opgewonden jongen.

„Een ongeluk!" Dirk liep nu naast de kar mee. „Mijn vriend is gewond. Daar... daar ligt hij. Help me alstublieft!"

Zonder verder te aarzelen kwam de boer in actie. Hij klakte met zijn tong en meteen ging het zware paard over in een sukkeldraf.

Dirk kon hem maar met moeite bijhouden.

Niet lang daarna tilden Dirk en de boer Jan op een stapel jutezakken op de kar. Met z'n tweeën haalden ze ook de motor naar boven en duwden hem over een paar planken de kar op. Dirk klom naast de boer op de bok.

„Waarheen?" vroeg hij aan Dirk.

„Wat is het dichtstbij?" was Dirks wedervraag.

„Dat maakt niets uit. Het is allemaal even ver."

Dirk keek hem onderzoekend aan. Hij wreef over zijn voorhoofd, alsof hij moeite had om na te denken. „Kent u Tiemissen bij de Oude Kat?"

„Dat zou ik denken."

„Daarheen dan maar. Hoe lang doen we daarover, denkt u?"

„Wel een poosje. Maar ik zou me daar maar niet al te ongerust over maken. Je vriend redt het wel."

Dirk keek naar Jan, die leek te slapen. Hij knikte; er zat niets anders op.

„Hup!" riep de boer. Hij klakte met zijn tong en het paard begon te lopen.

Het leek uren te duren voor ze de boerderij bereikten. Jan was inmiddels wakker geworden en lag onsamenhangend in zichzelf te praten. Toen de kar voor hun deur stopte, kwamen Tiemissen en zijn vrouw naar buiten. Zonder iets te vragen, hielpen ze Dirk om Jan naar binnen te dragen, en legden hem in een bedstee. Daarna duwden Tiemissen en de boer de motor naar de achterkant van de boerderij.

De boerin stuurde een van haar kinderen weg om de dokter te halen.

„Jij moest ook maar even gaan liggen," zei ze tegen Dirk. „Vandaag kun je toch nergens meer heen."

Dirk wilde weigeren, maar hij voelde de vermoeidheid door zijn hele lijf en zijn schouder deed behoorlijk pijn. Hij liet zich overhalen en kroop in het bed van een van de kinderen. Hij sloot zijn ogen en viel meteen in slaap.

Toen hij wakker werd, was het aardedonker in het kamertje.

Om hem heen hoorde hij de rustige ademhaling van de slapende kinderen. Vanachter de deur kwam zacht gemompel. Dirk kwam overeind en even vertrok zijn gezicht van pijn. Zijn schouder was stijf, maar nu had hij vooral last van zijn geschaafde hand. Hij voelde tot zijn verbazing dat er een verband om zat. Hij gleed uit bed en vond op de tast de klink van de deur. Aan welke kant was de woonkeuken ook alweer? Hij ging op het geluid van stemmen af, maar voor hij bij de deur was, ging die open.

„Ben je er weer?" vroeg de boerin. „Kom er maar gauw bij zitten."

Aan tafel zaten Joris Tiemissen en tegenover hem... Breker Ben, en zijn vader!

„Daar hebben we de brokkenpiloot," zei Klaas Kromvoort.

Dirk bleef even besluiteloos in de deuropening staan, alsof hij zich afvroeg hoe die twee daar verzeild waren. Toen ging hij aan de tafel zitten. „Ik heb het verknald," zei hij toonloos. „Hoe is het met Jan?"

„Die heeft een harde kop," antwoordde Klaas. „Dat komt wel goed. Hoe voel jij je?"

„Niet om over naar huis te schrijven," gaf Dirk toe. „Ik kan mezelf wel slaan. Wie verwacht er nou dat die Zwarte Meester precies daar staat?"

„Een ongelukkige toevalstreffer," vond Breker Ben. „De vogel is gevlogen. Maar hij is nog niet van ons af."

„Ik had hem voor het grijpen en..." Dirks stem stokte. „Hoe laat is het eigenlijk?"

„Het is twee uur in de nacht," antwoordde Tiemissen.

„We moesten maar eens opstappen," zei Klaas. „Beter nu dan

morgen bij daglicht. Het kan knap onrustig worden."

„Wat bedoelt u daarmee, pa?" vroeg Dirk.

De kooiker keek zijn zoon aan met een triomfantelijk gezicht: „Breda is vrij! Roosendaal is vrij! Oudenbosch, Steenbergen en Stampersgat ook! Onze bevrijders komen van twee kanten naar ons toe. Vanuit het zuiden en vanuit het oosten. Nog maar een paar dagen, Dirk, misschien nog minder!"

„Dat is goed nieuws," zei Dirk een beetje mat.

„Je bent niet erg enthousiast," vond Breker Ben.

„Je moet je kop niet zo laten hangen," zei Joris Tiemissen. „Die Bloks krijgt zijn verdiende straf, daar kun je van op aan."

„De vraag is alleen wanneer!"

Ze moesten Jan wakker maken. De gewonde lag, met zijn hoofd in het verband, in de bedstee te snurken als een os.

„Kom er eens uit, jongen," zei de boer, terwijl hij hem zacht door elkaar schudde. „Dan kunnen moeder en ik erin."

Jan sloeg verbaasd zijn ogen op, zag al die gezichten om zich heen en begon zacht te grinniken. „Wat is dit? Ziekenbezoek?"

„Dat zou je wel willen," zei Klaas. „Opstaan. Maar kalm aan. Je hebt nogal een dreun gehad."

Jan ging rechtop zitten en wilde meteen weer gaan liggen. „Er rolt een stalen bol in mijn hoofd heen en weer."

„Gaat wel over," zei Dirk. „Misschien zijn je hersens nu eindelijk een beetje op hun plaats geschoten."

„Het is dat ik me zo belabberd voel, anders kreeg je een klap!"

„Volgende keer. Opstaan nu. Zo ja, langzaam... Kom hier maar zitten, dan zal ik je helpen met je schoenen."

Toen Jan eindelijk aangekleed was, namen Klaas en Dirk hem tussen hen in mee naar buiten. Bij het aanlegsteigertje, naast de roeiboot, lag het bootje dat Dirk onlangs bij de Griendplaat had weggehaald. Daar gingen ze met z'n vieren in.

„En de roeiboot dan?" vroeg Dirk.

„Dat komt wel goed," verzekerde Joris.

„Nog bedankt... voor alles!"

„In deze tijd moeten we elkaar allemaal helpen," wuifde de boerin weg. Ze keek hen na, tot de duisternis hen had opgeslokt.

Tijdens de tocht was Jan weer in slaap gevallen. Ze konden hem aan boord van de woonboot in het griendland dragen zonder dat hij een kik gaf.

„We zullen hem snel in bed helpen," zei Josien bezorgd. „O, Dirk, wat heb ik in angst gezeten toen Ben kwam vertellen dat jullie gewond waren. En daarna al die tijd alleen hier op deze schuit. Om gek van te worden!"

„Alleen?" riep Dirk en zijn ogen vlogen naar de slaapplaatsen van Piet en Chiel. Ze waren leeg.

„Ze zijn naar huis, Dirk," zei Breker Ben zacht. „Toen jij met Jan vertrokken was, begon Piet erover. Hij wilde natuurlijk zo snel mogelijk naar zijn familie toe. Chiel wilde niet achterblijven, dus ze zijn weg."

„Ja, dat zat erin." Toch stond Dirk een paar tellen stil voor zich uit te kijken. „Dus nu eindigt zo'n beetje het werk van onze verzetsgroep, hè? Wel even wennen, hoor..."

„Ze wilden niet wachten tot de geallieerden ook de Biesbosch hadden bevrijd, zeiden ze."

5

Dagen later dan Klaas Kromvoort gehoopt en verwacht had, was het zuiden van Nederland pas vrij. Een deel van de gevechten vond, goed hoorbaar, vlakbij de Biesbosch plaats, omdat de Duitsers direct ten zuiden van de Moerdijkbrug hevig verzet hadden geboden.

Op 4 november kwam dan eindelijk het bericht over de radio dat de Duitse weerstand in Brabant was gebroken. Geertruidenberg, Made en Drimmelen werden bevrijd door de Polen; de Canadese Tweede Divisie stootte door naar Moerdijk. De laatste verzetshaarden werden opgeruimd. Op 8 november stonden de bevrijders aan de oevers van het Hollands Diep en de Amer.

Het was zondagmiddag. Regen en wind joegen over de Biesbosch. Op de woonboot zaten Klaas en Josien Kromvoort, Dirk, Jan de Zoete en Breker Ben bij elkaar.

De laatste was net aangekomen. Zijn anders zo kalme gezicht straalde, en in een vlaag van uitbundige blijdschap had hij zelfs zijn armen om Josien geslagen en haar op beide wangen gekust. „Je kunt terug naar de Griendplaat, Josien!" had hij uitgeroepen. „Het is zover!"

„Daar ben ik nog niet zo zeker van," had Klaas somber

gereageerd. „Wie geeft ons de garantie dat de Duitsers de Biesbosch zullen opgeven? Voor ons was het een prachtige omgeving om ons te verdedigen, en dat is het nu voor hen. Vergeet niet dat dit de laatste hindernis is voor de doorgang naar het noorden. Het Land van Heusden en Altena is één grote Duitse vesting. Trouwens, zie jij dat zware materiaal, die tanks, door de Biesbosch rollen? Geen schijn van kans. Nee, Brabant is bevrijd en daar moeten we voorlopig tevreden mee zijn. Maar voor de rest? Het zou best kunnen dat de rest van Nederland nog een lange, moeilijke winter tegemoet gaat."

„Misschien heb je gelijk," knikte Breker Ben. „In elk geval is ons werk gedaan. De Biesbosch begint leeg te stromen. De onderduikers willen weg. Eindelijk weer in een gewoon huis wonen, in een echt bed slapen. Geef ze eens ongelijk. Wie naar huis kan, gaat naar huis. Het leven in de Biesbosch zal binnenkort weer zijn gewone gang gaan."

„Tot de Duitsers komen, zoals pa voorspelt," zei Dirk. „Als dat gebeurt, is ons werk helemaal nog niet ten einde. Dan is er geen sprake van terugkeren naar de Griendplaat."

„Maar we kunnen hier toch weg," meende Josien. „We hoeven hier toch niet meer te blijven zitten?"

„Natuurlijk niet," suste Dirk. „U niet en pa ook niet. Maar ik ben niet van plan om deze veilige schuilplek in de steek te laten. Ik wil eerst zien hoe de dingen zich ontwikkelen."

„Vergeet het maar," kwam Jan ertussen. Hij zag er, met het verband om zijn hoofd, nog steeds uit als een pasja. „Wat zouden we hier nog moeten uitspoken, met z'n tweetjes? Wees realistisch. Bij mij is de fut er ook wel uit, hoor. Als ik naar Rotterdam kon, was ik nu al verdwenen."

„We zien wel," zei Dirk vaag. Hij richtte zich tot Ben. „Zeker nog niets gehoord van Piet en Chiel?"

„Niets. Ga er maar vanuit dat het Piet gelukt is in Bergen op Zoom bij zijn ouders te komen. En Chiel… wie weet waar die uithangt."

„Als ik ze ooit weer tegenkom, scheld ik ze stijf! Om zomaar, dwars door de linies, naar huis te reizen!"

„Dat was roekeloos, maar ik kan ze geen ongelijk geven," zei Josien. „Vergeet niet dat dit jóúw terrein is, niet dat van hen. Ze hebben je geholpen, maar toen dat niet meer nodig was, wilden ze naar huis. Ze wisten toch ook niet wanneer Jan en jij zouden terugkomen?"

„Ja, nou goed, het zal wel." Dirk zat wat afwijzend voor zich uit te kijken.

Er viel een stilte.

„Overigens nog iets," begon Breker Ben opnieuw. „De krijgsgevangenen bij het Ganzenest worden naar Drimmelen gebracht. Ze worden overgedragen aan de Polen. De commandant heeft opdracht gegeven de schepen zo snel mogelijk in orde te brengen om uit te varen. De woonboten worden ontruimd. Het wordt druk op de Amer met roeiboten die alles aan de wal brengen."

„Daar wil ik bij zijn," zei Klaas.

„Ik denk wij allemaal wel," meende Josien.

„Wacht tot morgenvroeg," adviseerde Ben. „De schepen met de gevangenen worden vanavond richting Drimmelen versleept. De overtocht naar de vaste wal is voor morgenvroeg gepland. Als jullie willen, kunnen jullie met mij mee. Ik ga straks terug naar de Sint-Jansbrug. Als we daar eenmaal zijn, kan er niets meer misgaan."

„Ik vind dat eigenlijk te gevaarlijk voor moeder," zei Dirk bezorgd.

„En dat ik hier op de boot was, al die tijd, was dat niet gevaarlijk?" vroeg Josien. „Ben je nu echt bezorgd om mij, of kun je me niet missen?"

„Nou ja," deed Dirk onverschillig. „We zaten hier goed; we hoorden gewoon allemaal een beetje bij elkaar. Het was zelfs nu en dan..."

„Gezellig?"

„Knus!" spotte Jan. „We hadden het knus, dat bedoelt hij."

„Als ik niet beter wist, zou ik denken dat je het erg vindt dat het voorbij is," zei Klaas met een beschuldigende toon in zijn stem. „Wat dat betreft kan ik je geruststellen, Dirk. Het is nog lang niet voorbij. Er is nog veel te doen."

„Dat weet ik ook wel. Het is alleen... het begint hier stil te worden."

„Ga dan mee!" kwam Josien er plotseling tussen. „Wat heb je hier in vredesnaam nog te doen?"

„Dat weet ik niet, maar ik heb in bevrijd gebied toch niets te zoeken. Judith en de Zwarte Meester, hè... Met hem ben ik nog steeds niet klaar; al moet ik hem tot in Berlijn achterna, ik krijg hem te pakken!"

„Op mij kun je in ieder geval rekenen," zei Jan, die het kennelijk ook nog te vroeg vond om de Biesbosch te verlaten.

„Dat wist ik wel."

„Oké," verbrak Breker Ben de stilte die volgde. „Wie gaat er met mij mee?"

„Wij gaan mee," zei Klaas. „En Dirk, ik hou contact met je. Als je wat nodig hebt, hoef je het maar te zeggen. En als je hulp nodig hebt, aarzel niet bij het Commando aan te kloppen. Er blijft in elk geval een kleine groep paraat."

„Wij redden ons wel," zei Dirk. „Waar gaan jullie eigenlijk heen? Heb je een adres?"

„Ik verwacht dat we overal wel terecht kunnen. Maar ik denk dat we het beste bij Lucas van den Meerendonk in Lage Zwaluwe kunnen aankloppen. Een goede kennis met het hart op de juiste plaats."

„Ja, over Lucas hoef je geen twijfels te hebben." Dirk knikte*.

Dirks ouders hadden niet lang nodig om hun weinige spullen te pakken.

Toen die in de boot van Ben lagen, stonden ze met z'n allen op het dek van de woonboot.

Ben gaf Dirk en Jan een hand en stapte in de roeiboot. Klaas deelde een paar vriendschappelijke schouderklopjes uit en volgde.

Josien aarzelde. „Dirk, jongen, eigenlijk vond ik het zo nu en dan ook gezellig," zei ze ten slotte. „Ondanks alle spanningen."

„Het is goed, ma. Ga nu maar."

„Pas je goed op jezelf?"

„Dat weet u toch." Dirk kuste haar op beide wangen.

Zijn moeder probeerde te glimlachen. Ze knikte naar Jan, zonder woorden; Jan knikte haar toe.

Dirk liep met haar mee naar de reling en hielp haar overstappen. Ze werd opgevangen door Klaas.

Stil keken de twee jongens toe hoe de roeiboot wegvoer uit de

* *Zie: De Vos van de Biesbosch - Een verzetsgroep in actie*

kreek en bij de kromming uit het gezicht verdween.

„Je bent onrustig, Dirk. Onrustig en gespannen. Nee, je hoeft het me niet uit te leggen," weerde Jan af, toen hij zag dat Dirk iets wilde zeggen. „Ik weet heel goed wat jou dwarszit. Die Zwarte Meester wordt een obsessie voor je; je kunt alleen nog maar denken aan de bedreiging die deze SS-luitenant kan vormen voor Judith Koperman en haar familie, daar in de Achterhoek."

„Vind je dat gek?" protesteerde Dirk.

„Niet gek, wel overdreven. De kans dat ze die vent weer tegen het lijf lopen, is één op de... hoeveel? Duizend? Tienduizend? Wees reëel, Dirk. Laat je niet zo meeslepen door je gevoel!"

„Ik ben niet van plan om door te draaien."

„Blij dat te horen. Wat ben je wel van plan? Gaan we hier soms gewoon met z'n tweetjes zitten kamperen?"

Dirk antwoordde niet meteen. Tja, hier zaten ze nu met z'n tweeën. Aan de andere kant van de Amer heerste de blijdschap over de bevrijding. De Biesbosch stroomde leeg en zij zaten hier. Zijn vriend had natuurlijk gelijk. Hij moest Richard Bloks uit zijn hoofd zetten. Proberen niet te veel aan Judith te denken.

„Laten we eerst morgenvroeg maar eens gaan kijken hoe de krijgsgevangenen in Drimmelen ontvangen worden," stelde hij voor.

„Dat lijkt me een goed idee," knikte Jan. „En dan?"

„Daarna zien we wel weer."

In de nacht veranderde het weer. De harde wind ging liggen en de wolken waren weggeblazen. Het beloofde een stralende, late herfstdag te worden.

In alle vroegte vertrokken Dirk en Jan met de roeiboot naar de Amer. Toen ze door het Gat van de Zuiderklip en het Middelgat van de Plomp naar buiten kwamen, zagen ze de twee schepen liggen met aan boord de meer dan zeventig krijgsgevangenen die het Commando de laatste maanden bijeen had gebracht. Bij de haven van Drimmelen zag de oever al zwart van de mensen. De hele bevolking was uitgelopen om de aankomst te zien.

„Daar moeten we bij zijn," zei Dirk. Hij roeide erheen.

„Vreemd hè, dat we nu zomaar een stukje kunnen roeien, zonder op gevaar te hoeven letten," zei Jan.

Ze legden de roeiboot aan achter het steigertje bij Meindert Wouters en liepen naar de haven.

Op de Herengracht zagen ze huizen met rood-wit-blauwe vlaggen en oranje wimpels uit de ramen, maar er was verder niemand. Iedereen was naar de haven om de intocht van de verzetsstrijders mee te maken.

Dirk en Jan keken naar al die blije en onbezorgde mensen. Kinderen met oranje strikken in hun haar of feestmutsen op zwaaiden met vlaggetjes. De volwassenen deden het een beetje rustiger aan. Veel mannen hadden een oranje knoopje in de revers van hun jas en sommige vrouwen droegen een haastig gemaakte oranje bloes of een schort in de nationale kleuren. Maar de meesten toonden hun vreugde niet al te uitbundig. Deze dag was ook een afsluiting van een veel minder plezierige periode. Dat was niet zomaar vergeten.

Dirk keek uit naar zijn ouders. Hij hoopte hen hier te ontmoeten, al zou dat bijna toeval zijn in deze drukte.

Plotseling hoorde hij een hoge vrouwenstem roepen: „Daar komen ze!"

Het werd meteen doodstil op de kade.

Heel langzaam naderden over de Amer de schepen met de Duitse krijgsgevangenen, nog steeds bewaakt door verzetsmensen, die nu op de dekken stonden. Het voorste schip had het andere op sleeptouw.

De mensen liepen de schepen tegemoet langs de waterkant en begonnen te roepen en te zwaaien naar de dappere mannen op de schepen. Die zwaaiden enthousiast terug en begroetten familieleden en bekenden. Sommigen hadden tranen in hun ogen.

Even later zagen Dirk en zijn vriend dat de schepen de haven indraaiden en afmeerden langs de kade. De mensen op de wal drongen zo ver mogelijk naar voren.

Tussen twee dikke rijen uitzinnige mensen liepen de krijgsgevangenen via loopplanken de wal op, zesenzeventig in totaal. Er was ook een meisje bij met een kaalgeknipt hoofd, dat hardop werd uitgelachen.

„Die heeft dus iets gehad met Duitse soldaten, maar is dit nu nodig?" vroeg Dirk zich gegeneerd af.

„Nee, maar wel begrijpelijk," zei Jan de Zoete. „De mensen reageren zich af voor alles wat hun de afgelopen jaren is aangedaan."

De gevangenen werden in gelid opgesteld op de kade. De commandant van het Commando ging met een paar van zijn mannen aan het hoofd van de stoet staan. Pantserwagens van het Poolse bevrijdingsleger sloten de lange rij. Zo marcheerde de stoet weg, begeleid door de bevolking. Dirk wist dat ze naar het hoofdkwartier van de Ordedienst in Made gebracht zouden worden.

Jan en Dirk bleven achter in de nu bijna verlaten haven. Ze gingen kijken bij de voertuigen van de bevrijders die langs de weg geparkeerd stonden: de vrachtwagens, de lichte gevechtswagens, de tanks. Een enorme verzameling oorlogsmateriaal, beheerd door mannen in kaki uniformen, Canadezen en Polen. Het maakte grote indruk op het tweetal.

Jan bracht zijn gedachten onder woorden. „Zo gauw daar gelegenheid voor is, meld ik me als oorlogsvrijwilliger."

„Ik zou graag met je meegaan," knikte Dirk. „Maar ik kan niet. Nog niet."

Jan keek hem onderzoekend aan. „Je geeft het niet op, hè?"

„Nee, nog niet."

„Ik begrijp het wel. Maar je moet me niet vragen of ik het verstandig vind."

„Dat vraag ik dan ook niet," zei Dirk nuchter.

Ze slenterden nog een tijdje doelloos door het dorp, in de hoop kennissen tegen te komen. „Laten we maar teruggaan naar ons bootje," zei de Vos na verloop van tijd een beetje moedeloos.

Vanaf de oever keken ze naar de overkant van de Amer, naar de ruige, bijna ondoordringbare Biesbosch.

Dirk wilde het niet hardop zeggen, maar hij had eigenlijk helemaal geen zin om terug te keren naar de woonboot. Nu terugkeren was een vrijwillige keus. Ze konden hier ook aan de veilige kant van het water blijven en doen wat Jan voorstelde. Zich melden als vrijwilliger en meevechten met de geallieerden. Hij vroeg zich af hoe Jan zich voelde. Zijn familie zat in het nog steeds bezette Rotterdam.

„Blijven we hier staan tot we wegwaaien?" onderbrak Jan zijn gedachten.

„Nee, laten we maar teruggaan."

Ze staken over en gingen via dezelfde route waarlangs ze waren gekomen naar de woonboot. Het tij was gunstig. Ze hoefden dus niet bang te zijn dat ze meer open water op moesten zoeken. Tijdens het roeien zwegen de jongens, bezig met hun eigen gedachten.

„Zeg, Dirk," verbrak Jan de stilte, „denk je dat de geallieerden snel naar het noorden doorstoten om de rest van Nederland te bevrijden?"

„Ik denk het niet. Ze zullen met hun tanks toch op een of andere manier de grote rivieren over moeten. En daar hebben ze een flinke brug voor nodig. Een tweede Arnhem zullen ze niet gauw meer riskeren. Het zou best wel eens kunnen dat ze nu via het vlakke Noord-Duitsland zo snel mogelijk naar Berlijn willen doorstoten. Wat er boven de rivieren gebeurt, zal waarschijnlijk even minder belangrijk zijn."

„Hm, denk je?"

Dirk reageerde verder niet en de riemen kletsten weer ritmisch in het water. Even later gleden ze de kreek binnen die naar de ligplaats van hun woonboot voerde. Ze naderden net de kromming die de woonboot tot het laatste moment aan het oog onttrok, toen Dirk plotseling de riemen stilhield.

„Wat is er?" vroeg Jan.

„Stil!" waarschuwde Dirk. „Volgens mij hebben we bezoek."

„Ik hoor niets."

Dirk hief waarschuwend zijn hand op. Er klonk inderdaad een zwak geluid uit de richting van de woonboot. Het leek op het geluid van voetstappen op het dek.

„Naar de kant en eruit!"

Zo stil mogelijk verlieten ze de roeiboot en drongen het dichte struikgewas in. Ter hoogte van de woonboot lieten ze zich op de grond zakken en kropen verder, tot ze de boot in het oog kregen. Jan was de eerste die in de lach schoot.

Op het dek van de woonboot, met zijn benen buiten boord, zat Breker Ben. Hij zat te vissen. Ook bij Dirk brak de spanning en hij moest lachen.

Ben keek op en zag de lachende gezichten van de twee vrienden tussen het struikgewas. „Hallo!" riep hij. „Waar bleven jullie zo lang?"

„We kunnen beter vragen wat jij hier uitspookt."

„Dat zie je toch? Ik zit te vissen."

„En, heb je al iets gevangen?" vroeg Jan.

„Jazeker. Twee domme gozertjes, maar die zijn niet te vre... he... ten!"

Ze stapten aan boord en gingen naast Ben zitten.

„Moest jij niet bij de feestelijke intocht zijn?" vroeg Dirk.

„Ik was er, heel even. Maar ik hield het gauw voor gezien. Bovendien had ik nog het een en ander te regelen." Breker Ben zweeg en even leek het alsof hij al zijn aandacht weer aan zijn dobber besteedde. Toen zei hij: „Ik ben vanmorgen nog bij Bruinsma geweest, je kent hem wel."

„Iedereen kent Bruinsma van de rijkspolitie. Hij is zuiver."

„Klopt. En dit zullen jullie wel aardig vinden: Bruinsma vertelde me waar Chiel van Kerkum was."

„Wat zeg je?" Dirks loomheid was meteen verdwenen.

„Chiel is in Breda," zei Ben. „Bruinsma had dat bericht doorgekregen met het verzoek Chiels tante aan de Herengracht in te lichten. Zodoende."

„Wat doet Chiel in vredesnaam in Breda?" vroeg Jan.

„Wacht," zei Dirk, terwijl hij Ben strak bleef aankijken. „Daar is een reden voor, is het niet, Ben? Er is iets aan de hand met Chiel. Of niet soms? Is hij... hij is toch niet...?"

„Nee, natuurlijk niet. Hij is niet dood!" Ben probeerde te lachen, maar het lukte niet erg. „Onkruid vergaat niet. Maar ze hebben hem wel te pakken gehad."

„Hoezo, te pakken gehad? Wie heeft hem te pakken gehad?" drong Jan aan.

„Jullie vriend Chiel ligt in Breda in een legerhospitaal van de Polen. Een exploderende granaat kwam vlak bij Chiel neer en toen heeft hij wat scherven opgevangen. Tijdens de opmars hierheen hebben ze hem gevonden en overgebracht naar Breda."

„Weet je niet meer van hem?" vroeg Dirk geschrokken. „Hoe ernstig is het? Is hij zwaar gewond?"

„Hij is niet in levensgevaar, maar ze hebben een hele poos moeten plukken om alles uit zijn lijf te halen. Hij heeft geluk gehad; het zijn alleen vleeswonden aan zijn bovenbenen en een hand. En wat splinters in zijn borst die geen kwaad hebben aangericht. Meer weet ik ook niet. Wat ik jullie vertel, weet ik van Bruinsma."

„Kunnen we naar hem toe?" vroeg Jan.

„Ik zou me maar niet haasten als ik jullie was," zei Breker Ben laconiek. „Het verbaast me dat jullie niets gemerkt hebben, of misschien hebben jullie stom geluk gehad, maar op dit moment zijn er al Duitsers die de Biesbosch in trekken. Dat weet ik ook van Bruinsma, die een seintje heeft gehad van Bertus Portijn uit Werkendam. Vanmorgen in alle vroegte zijn ze al gekomen en op dit moment zijn ze overal posten aan het inrichten. De jongens van het Commando hadden hun hielen nog niet gelicht, of de moffen hadden zich al aan het Steurgat genesteld, en aan de Reugt en op de Moordplaat. Ze zijn duidelijk van plan om de hele crossroute die wij altijd gebruikten om mensen en medicamenten van Noord naar Zuid en terug te vervoeren, lam te leggen. Aan de Nieuwe Merwede is het precies hetzelfde liedje. Vanaf de Kop van het Land tot aan de Jacomina aan de overkant zijn zo'n tien, vijftien posten ingericht. Ik zou dus maar uitkijken met wat je doet. Wacht een of twee dagen, totdat we weten hoever de moffen gaan. Het ziet er echt naar uit, dat ze de hele Biesbosch gaan bezetten."

„Dat is niet zo mooi," zei Dirk, „maar het was wel te verwachten. Toch wil ik naar Chiel, met eigen ogen zien hoe het met hem is."

„En hoe is het met Piet?" vroeg Jan plotseling. „Is daar iets van bekend?"

Breker Ben knikte. „Ook daarom vraag ik jullie niet hals over kop op pad te gaan."

„Zeg nou eens meteen wat je te zeggen hebt," drong Dirk een beetje geïrriteerd aan.

„Kan ik dat niet beter zelf doen?" vroeg een bekende stem op enigszins spottende toon.

Dirk en Jan draaiden zich tegelijk om. Jan vloekte en Dirk was sprakeloos.

In de deuropening van de kajuit stond Piet van Dijk, nonchalant tegen de deurpost leunend met een brandende sigaret tussen zijn lippen. „Dag, jongelui!" zei hij bijna vrolijk.

De mond van Dirk ging een paar maal open en dicht, als van een vis op het droge. „Hufter!" bracht hij met moeite uit.

„Dank je wel voor je hartelijke begroeting," zei Piet. Hij haalde zijn schouders op en kwam naar hen toe. „Nou ja, ik zal het wel verdiend hebben."

„Vind jij dan zelf van niet?" vroeg Jan de Zoete. „Een knal voor je kop moest je hebben!"

„Als jullie gaan vechten, ga ik weg!" zei Breker Ben op gemaakt angstige toon. „Ik dacht dat jullie blij zouden zijn."

„Het is wel een verrassing," zei Dirk. Hij keek Piet eens aan, die onschuldig terugkeek en zelfs knipoogde. Dirk schudde zijn hoofd, trok Piet toen met twee handen naar zich toe en schudde hem door elkaar. „Ik ben blij dat je er weer bent!"

„Was jij erbij, toen Chiel..." Jan maakte de vraag niet af.

„Nee. We zijn halverwege Breda uit elkaar gegaan omdat ik een lift kon krijgen. Chiel bleef wachten op de Engelsen," zei hij. „Ik hoorde zojuist van Ben wat er is gebeurd."

„Ik ben blij dat we in elk geval weer met z'n drieën zijn."

„Pardon, met z'n vieren," zei Ben. „Tenminste, als ik hier mag blijven logeren. Waar moet ik anders heen nu het Commando vrijwel geen woonruimte meer heeft?"

„Nou... welkom dan in ons Vossenhol!" zei Dirk gemeend.

6

Twee dagen later gingen Dirk, Jan en Piet op weg om hun gewonde vriend Chiel in Breda op te zoeken. Breker Ben vond het geen probleem alleen achter te blijven.

Ben zou hen bij het aanbreken van de dag wegbrengen. Niet naar Drimmelen, want de weg daarnaartoe was vooral overdag niet veilig. De Duitsers hadden in een paar dagen hun greep op de Biesbosch flink verstevigd. Er was een heel netwerk van zwaar bewapende posten ontstaan, vooral langs de route naar Werkendam. Er werd voortdurend en intensief gepatrouilleerd. Alleen het ondoordringbare griendland, waar de woonboot van de Vos lag, en alles westelijk daarvan, tot aan de Nieuwe Merwede, was nog redelijk veilig. Met uitzondering van de Griendplaat, waar het ouderlijk huis van Dirk stond. Dat deed nog steeds dienst als uitkijkpost. Breker Ben bracht het drietal, in het motorbootje van Dirks vader, eerst door het Gat van de Binnennieuwensteek naar de Visplaat. Daar gingen ze langs bij Martien van Lent, in de hoop dat hij wat meer informatie zou kunnen geven.

De onverstoorbare kooiker was blij hen te zien. Tijdens de maanden voor de bevrijding van het Zuiden had hij veel goed werk gedaan als coördinator van het Commando. Zijn huis was een vluchthaven en een rustpunt geweest. Besprekingen en contacten tussen de leiding van het Commando en leden van de Ordedienst hadden in zijn huis plaatsgevonden. Nu was dat allemaal voorbij en Martien liet duidelijk merken dat hij al die activiteit miste.

„Het is een saaie boel geworden," zei hij, nadat hij zijn gasten had meegenomen naar de woonkamer. „Als je niet wist dat er op de punt van de Jacominaplaat een mitrailleurspost was, dan zou je denken dat de oorlog helemaal voorbij was."

„Ja," knikte Dirk, „de lol is er een beetje af."

„Toch is dat maar schijn," lachte Van Lent geheimzinnig. „Er komt weer werk aan. Ik heb gehoord dat er plannen bestaan om een verbindingsroute naar het Noorden op te zetten. In het bezette gebied boven de Merwede stikt het van de geallieerde piloten die naar het Zuiden moeten, maar ook van de onderduikers. Geheim agenten zoeken een weg naar het Zuiden én terug, om hun werk nog beter te kunnen doen. Tot slot is er gebrek aan alles, vooral aan medicijnen. De ziekenhuizen liggen bomvol en hebben een nijpend tekort aan medicamenten. Daar moet voor gezorgd worden en dat gaat ook gebeuren."

„Daar weten wij niets van," zei Dirk met een scheef oog naar Breker Ben. „Jij wel?"

„Ik maak er mijn werk van om van alles op de hoogte te zijn," antwoordde Ben met een grijns.

„Waarom heb je ons daar niets van verteld?"

„Ik hoef jou toch niet alles aan je neus te hangen?" verdedigde Ben zich. „Bovendien heb ik er nog geen tijd voor gehad. Maar ik zal je nu bijpraten, tenminste als Martien het goed vindt."

„Ga je gang," gebaarde die.

„Een aantal mannen," begon Breker Ben, „onder andere uit

Sliedrecht en Drimmelen, hebben onderzocht of er een doorsteekroute vanuit het Zuiden naar Werkendam opgezet kan worden. „Ze zijn tot de conclusie gekomen dat het kan, maar alleen 's nachts en bij nieuwe maan. De mannen van de Biesbosch-ploeg worden weer opgetrommeld. Een paar zijn er niet meer te bereiken, maar een aantal is benaderd om aan de crossings deel te nemen. Er zijn al een paar boten overgestoken en alles is goed gegaan."

„Is dat niet een ideale klus voor ons?" vroeg Piet van Dijk. „Wij zitten toch maar te niksen."

„Zo is het," zei Jan de Zoete. „Zeg maar tegen die crossers dat drie man graag willen meehelpen."

„Wat denken jullie ervan?" vroeg Dirk. „Van Lent? Ben? Voor dit soort zaken zijn wij in de Biesbosch gebleven. Wij willen graag ingeschakeld worden."

„Tjaaa," zei Ben, terwijl hij nadenkend op zijn hoofd krabde. Hij wisselde een blik van verstandhouding met Martien van Lent. „Op zich zou dat geen slecht idee zijn."

„Hoezo, op zich? Het is een goed idee. Wij zitten midden in het gebied. Onze schuilplaats is een prima uitwijkhaven voor het geval er iets misgaat. En we zijn beschikbaar. Vertel me waar en bij wie we ons moeten melden en we zijn er. Vanavond al, als het moet!"

„Dat lijkt me een beetje overhaast," merkte Martien voorzichtig op. „Eigenlijk zijn er al genoeg aanmeldingen. Ook van mensen die het wel goed bedoelen, maar die we om bepaalde redenen niet zo geschikt vinden. Onervaren mannen en jongens, die het als een avontuur beschouwen en die, nu de oorlog op z'n eind loopt, plotseling ook hun steentje willen bijdragen. Er wordt nu al gesproken over groepjes die op eigen houtje willen gaan crossen. Dat is slecht voor de veiligheid."

„Wat heeft dat met ons te maken?" vroeg de Vos verbaasd. „Ik denk dat wij bewezen hebben dat we wel degelijk geschikt zijn om mee te doen."

„Dat vond ik eerlijk gezegd ook," knikte Breker Ben. „Maar degenen die daarover moeten beslissen, denken er anders over. Ze erkennen dat jullie goede dingen hebben gedaan, maar tegelijk zeggen ze dat de groep van de Vos wel erg zelfstandig heeft geopereerd."

„Omdat we buiten het Commando werden gehouden!" riep Dirk verontwaardigd. „Dat is toch zeker wel bekend?"

„Dat weet ik niet. Hoe dan ook, jullie acties passen niet in de georganiseerde verzetsorganisatie. Het spijt me dat ik het zeggen moet, maar blijkbaar werkt jullie reputatie niet in jullie voordeel."

„Dat is helemaal het toppunt!" riep Piet uit.

Dirk zweeg. Hij was kwaad, geërgerd en teleurgesteld. Maar nog meer voelde hij zich vernederd. Zijn vrienden en hij werden tekort gedaan, betutteld als kleine jongens. Hij keek Martien en Ben eens aan. Die keken haast verontschuldigend terug en Martien maakte een gebaar alsof hij wilde zeggen: 'Ik kan er ook niets aan doen.' De Vos moest even slikken om zijn verontwaardiging onder controle te krijgen.

„Wij gaan gewoon verder zoals we hiervoor bezig waren," zei hij vastberaden. „Tenslotte zijn we daarvoor ook in de Biesbosch gebleven. Als we niet aan de georganiseerde crossings mogen meedoen, dan gaan we als een soort aanvullende groep zelfstandig opereren. Ons domein was en blijft het griendland ten zuiden van de Noordplaat, ons thuis blijft de woonboot. En als we de crossgroepen kunnen helpen, zullen we dat graag doen." Hij wachtte even en zei toen tegen Van Lent en Breker Ben: „Vertel ze dat maar. Ze kunnen altijd onze hulp inroepen. Wij gaan ons vooral bezighouden met de boerengezinnen op de eilanden, die te lijden zullen krijgen van de Duitsers. En we zullen op zoek gaan naar neergeschoten piloten, als die in ons gebied terechtkomen."

„Dat is niet niks," zei Van Lent.

„We gaan er gewoon voor," knikte Jan de Zoete.

Ze waren bijna een uur op de Visplaat gebleven. Het was donker, somber weer, met laaghangende bewolking en een dichte nevel vlak boven het water. Daardoor konden ze veilig de Amer oversteken naar Lage Zwaluwe. Daar zette Breker Ben hen aan wal. „Nogmaals, bij het invallen van de schemering ben ik weer hier. Zorg dat je dan terug bent."

„We zullen er zijn," beloofde Dirk.

Ze gingen rechtstreeks naar de woning van Lucas van den Meerendonk, de bakenmeester. Daar waren ook de ouders van Dirk, zoals ze al verwacht hadden.

Dirks moeder omhelsde haar zoon met tranen in haar ogen. Misschien kwam dat omdat ze zich nu niet meer dapperder hoefde voor te doen dan ze was. Ze was de voortdurende druk van de bezetting kwijt.

Klaas bleef rustig. Hij knipoogde eens naar zijn zoon, vroeg hoe het er in de Biesbosch voor stond, en of ze nog naar hun huis op de Griendplaat waren geweest.

Toen Dirk daar ontkennend op antwoordde, leek hij een beetje teleurgesteld. Aan alles was te merken dat het nietsdoen hem niet beviel. Hij wilde terug naar de plek waar hij zich thuis voelde, naar zijn eendenkooi.

Dirk probeerde hem op te vrolijken. „Zodra de moffen van ons eiland verdwenen zijn, kom ik je halen."

„Ja, maar hoe lang kan dat nog duren?"

De bakenmeester zorgde ervoor dat ze met een legertruck van de Canadezen konden meerijden om in Breda te komen. Bij gebrek aan autobussen, onderhielden die een vrij geregelde pendeldienst naar de stad.

Zo zaten ze een tijd later tussen een paar burgers en militairen in de laadbak van een truck, op lange, houten banken, die bij elke bocht dreigden om te kiepen.

In de stad aangekomen, gingen de vrienden op zoek naar Chiel. Op aanwijzingen van een Canadees, aan wie ze vroegen waar de gewonden naartoe gebracht werden, kwamen ze bij een school, in een buitenwijk van Breda, die als hospitaal was ingericht. Het was een oud gebouw, met een speelplaats ernaast. Daar stond een grote legertent, die dienst deed als operatiekamer. Doktoren met witte jassen over hun uniform liepen daar in en uit. Er waren ook zusters, Nederlandse nonnen, met wapperende hoofdkappen en witte beschermers over de wijde mouwen van hun habijt.

Bij de ingang van de school sprak Dirk een van hen aan. „Goedendag, zuster. Wij zijn op zoek naar een vriend van ons, die hier misschien ligt. Chiel van Kerkum. Zegt die naam u misschien iets?"

Er kwam een glimlach op haar jeugdige, verlegen gezicht.

„Dat zou ik denken," antwoordde ze. „Zijn jullie vrienden van hem? Kom dan maar mee, dan zal ik jullie bij hem brengen. Die Chiel, dat is me er trouwens eentje!"

„Hoezo, zuster?" vroeg Piet, terwijl ze zich naast haar door de lange, hoge gang haastten. Er hing een doordringende geur van ontsmettingsmiddelen.

„Het is een boef, maar een aardige," zei ze met twinkelende ogen. Ze deed de deur open van wat eerst een klaslokaal was geweest en meteen hoorden de drie vrienden een bekende stem die riep: „Ah, daar is mijn zonnetje weer! Kom gauw bij me, zuster Anna, ik lig naar u te smachten!"

„Begrijpen jullie nu wat ik bedoel?" vroeg de zuster, terwijl ze moeite moest doen om haar lachen in te houden. „Dat gaat zo de hele dag door."

„Tegen wie praat u, zuster Anna?" riep Chiel weer. „Denk erom, ik duld geen concurrentie!"

„Ook niet van ons?" vroeg Piet, terwijl hij zijn hoofd om de deur stak.

„Wel alle mensen!" riep de gewonde. „Hebben jullie me gevonden? Kom binnen, kom binnen! Zuster Anna, zorg onmiddellijk voor thee of koffie. Of nee, bier en jenever is beter!"

„Ik laat jullie alleen," zei de zuster die geen Anna, maar Louisa heette, met een glimlach.

Chiel lag plat op zijn rug op een lage brits bij het raam. Op de andere britsen, acht in totaal, lagen zijn kamergenoten. Sommigen met verband om hun hoofd, borst of armen. Een van hen lag met beide benen in het gips. Ze waren bevestigd aan een katrol, die in het hoge plafond was geschroefd.

Chiel probeerde rechtop te gaan zitten. Zijn gezicht vertrok van pijn en met een bijna verontschuldigend gebaar gaf hij de poging op. Onder het openhangende pyjamajasje zagen ze het verband om zijn borst. Zijn rechterhand zat ook in het verband.

„Wat ben ik blij dat jullie er zijn," zei hij, ondanks alles met een brede grijns. „Jullie hebben er geen idee van wat het is om hier de hele dag te liggen niksen. Hoe is het met jullie? Alles goed?"

„Dag, Chiel," zei Dirk en hij gaf hem een hand. „Hoe voel je je?"

„Uitstekend! Werkelijk uitstekend!" was het uitbundige antwoord. „Hallo, Piet! Hallo, Jan! Let maar niet op die lappen om mijn lijf. Die zijn alleen maar om alles op zijn plaats te houden. Ik heb sinds kort een gestaald lichaam, wisten jullie dat?"

„Wil je daarmee zeggen dat alles er nog niet uit is?" vroeg Jan.

„Bijna alles in elk geval. Er zijn een paar kleine splintertjes die nog verwijderd moeten worden. Schijnt een beetje ingewikkelde zaak te zijn, hoewel niet riskant. Maar het prikt wel als je je beweegt." Chiel schoof een beetje heen en weer, alsof hij dat wilde demonstreren en meteen vertrok zijn gezicht weer. „Ik doe maar net alsof ik in de brandnetels ben gevallen. Maar het is niet leuk."

„Dat kan ik me voorstellen," zei Dirk. „Van Breker Ben kregen we te horen dat jij door stom toeval te dicht bij een granaatinslag terecht bent gekomen. Leg eens uit wat er gebeurd is."

„Precies zoals je zegt. Piet wilde terug. Hij kreeg last van schuldgevoel omdat we zonder wat te zeggen waren vertrokken."

„Wat natuurlijk ook zo is," zei Jan de Zoete vinnig.

„Oké, het was niet netjes," gaf Chiel toe. „Hoe dan ook, er

kwam een auto voorbij, zo'n kar met een open laadbak, waar een batterij gasflessen op gemonteerd was. Er zaten wat mensen op. Piet hield hem aan. We konden mee terugrijden naar Moerdijk. Ik wilde niet, ik wilde onze bevrijders zien. Ze waren vlakbij!"

„Nou, de granaten vlogen ons om de oren!" onderbrak Piet. „We hadden net een zogenaamde Rode-Kruiswagen van de moffen de lucht in zien vliegen, boordevol munitie. De spatborden hingen in de bomen! We werden vanuit de lucht voortdurend beschoten. In de greppels langs de weg lagen tientallen vluchtelingen te bibberen en jij wilde eropaf. Daar had ik geen zin in."

„Als ik dat zo hoor, hebben jullie behoorlijk staan bekvechten midden in dat oorlogsgeweld," merkte Dirk op.

„Och, dat viel wel mee," zei Chiel met een schuine blik naar Piet. „Hij kroop dus op die auto en vertrok. Ik ging verder. Een minuut of tien later gebeurde het."

„Wát gebeurde er precies?" vroeg Jan.

„Het was stom," antwoordde Chiel hoofdschuddend, alsof hij niet graag aan de gebeurtenis werd herinnerd. „Er kwamen een paar tommy's laag over de weg aanvliegen. Die lui schoten letterlijk op alles wat bewoog, en geef ze eens ongelijk. Er liepen mensen op de weg, burgers... Ik zag ze vallen. Een man was op slag dood, een jonge vrouw lag te gillen... Het was allemaal niet zo prettig." Hij zweeg even, keek zijn vrienden aan. Die reageerden niet, maar wachtten tot hij verder ging. „Toen zag ik een kind, een meisje van een jaar of twaalf. Ze was volkomen door het dolle heen; ze schreeuwde, riep om haar moeder. Ze rende de weg af, de velden in. Ik ben er snel achteraan gegaan, waarom weet ik zelf niet. Toen ik haar bijna te pakken had, zag ik vlakbij granaten inslaan. Ik wilde haar grijpen, tegen de grond gooien, maar ze rukte zich krijsend los. Ik ben boven op haar gesprongen, we smakten samen neer en op datzelfde moment gingen we weer de lucht in. Dat was het, meer weet ik niet. Mijn licht ging uit."

„Je mag van geluk spreken dat je hier nog ligt," zei Piet een beetje stil door het verhaal.

„Zo kun je het ook bekijken."

„En het meisje?" vroeg Dirk.

„Mankeerde niets. Toen ze ons vonden, zat ze bij me te huilen. Die dode man op de weg... dat was haar vader. Ze hebben haar naar familieleden gebracht. Tenminste, dat is me verteld."

Er viel een ongemakkelijke stilte.

„Hoe lang moet je hier nog blijven, denk je?" vroeg Dirk, om toch maar iets te zeggen.

„Geen idee. Zoals ik al zei, zitten er nog wat splintertjes waar ze hier niet goed raad mee weten. We zullen wel zien."

Zuster Louisa kwam een kijkje nemen. „Het wordt nu echt tijd dat onze patiënt weer wat gaat rusten," zei ze met een vriendelijke glimlach.

„Aha, zuster Anna," grijnsde Chiel. „Je wilt mijn vrienden weg hebben, zodat je met mij alleen kunt zijn. Foei toch!"

De zuster bloosde warempel en schudde afkeurend haar hoofd. Haar kap zwierde vrolijk mee. De vrienden namen afscheid. Ze verzekerden Chiel dat ze contact zouden houden. Toen ze zich bij de deur nog even omdraaiden om naar Chiel te zwaaien, zag hij er plotseling niet meer zo opgewekt uit. Er was een gretige blik in zijn ogen gekomen, alsof hij zo van zijn brits wilde springen om met hen mee te gaan.

Buiten gaven ze de zuster een hand. „Wat denkt u van onze gewonde held?" vroeg Dirk.

„Eerlijk gezegd is het niet zo best. Hij heeft veel pijn, al laat hij dat niet merken. Er moet nog wat verwijderd worden; dat zit nogal diep, en drukt tegen een zenuw. Hier kan hij niet geholpen worden. Ik denk dat we Chiel moeten overbrengen naar het Sint-Elisabethziekenhuis in Tilburg. Dat zou het beste zijn voor hem."

„Wilt u ons alstublieft op de hoogte houden?" Dirk zocht naar een papiertje en iets om mee te schrijven, maar de zuster diepte het al op uit de wijde plooien van haar habijt. Hij gaf haar het adres van Lucas van den Meerendonk in Lage Zwaluwe.

„U krijgt bericht van mij," beloofde ze.

Somber verlieten de vrienden de speelplaats.

Het was al donker toen ze in Lage Zwaluwe terugkeerden. Het was hen niet gelukt om weer van de pendeldienst van de Canadezen gebruik te maken. Noodgedwongen waren ze maar gaan lopen, in de hoop onderweg een lift te krijgen. Ze merkten al snel dat dat niet zo eenvoudig was. De paar auto's die er reden, waren van de Polen of Canadezen en die maakten er kennelijk geen gewoonte van om te stoppen en iemand mee te nemen.

Na een paar kilometer kreeg Piet van Dijk er genoeg van. „De eerste auto die passeert, is van ons," zei hij kwaad.

„Hoe wil je dat doen?" vroeg Dirk.

„Dat zul je wel zien!" was het antwoord.

En ze zagen het. Toen achter hen in de verte twee vage lichtjes opdoemden, ging Piet midden op de weg staan, met zijn armen gespreid.

„Laat dat, idioot!" waarschuwde Dirk. „Of wil je per se ondersteboven gereden worden? Ze zien je niet met die afgeschermde koplampen."

„Ik waag het erop," zei Piet vastberaden en hij begon wild met zijn armen te zwaaien.

De auto kwam steeds dichterbij. De vrienden hielden hun adem in.

„Kom van de weg af!" riep Jan.

„Ik denk er niet aan!"

„O nee!" zei Dirk. Hij begon te rennen, de auto tegemoet, met de bedoeling de aandacht te trekken.

Maar de auto, een personenwagen, snorde hem gewoon voorbij. Dirk hield zijn hart vast. Hij keek de auto na. Zag Piet in het spaarzame licht van de koplampen verschijnen.

Op het laatste moment klonk een gierend geluid van remmen. Toen de auto tot stilstand was gekomen, was er nog maar een handbreedte ruimte tussen de benen van Piet en de bumper.

Het portier vloog open en een boze mannenstem riep: „Heb jij soms genoeg van het leven?"

„Nog lang niet," antwoordde Piet laconiek. „Maar wij moeten naar Lage Zwaluwe en dit is de enige manier om een lift te krijgen."

„Wij?" De chauffeur was uitgestapt. Het was een kleine, driftige man. „Hoezo, wij?"

„Hij bedoelt ons," antwoordde Dirk, die inmiddels weer was teruggerend. „Wij moeten ook mee."

„Drie man? En jullie moeten mee? Vergeet het maar. Mijn auto zit vol. Er kan hooguit één man bij."

„Waar een wil is, is een weg," zei Dirk. Hij keek in de auto, die volkomen leeg was. „Je houdt ons voor de gek, beste man. Dat is niet aardig."

„Dat gaat je niks aan. Dit is mijn auto en... en ik ga niet eens naar Lage Zwaluwe. Ik moet naar Hank."

„Dan ga je toch naar Hank," zei Dirk. „Zodra je ons in Lage Zwaluwe hebt afgezet. Instappen, jongens!"

De man wilde nog protesteren, maar hij zag dat het nutteloos was. Met een gezicht als een donderwolk kroop hij weer achter het stuur. „Struikrovers!" mompelde hij.

De vrienden lachten. „Rijden maar!" zei Piet.

Al met al was het vrij laat toen ze bij Van den Meerendonk aankwamen. Breker Ben zat al uren op hen te wachten, zei hij.

„Het had nog veel later kunnen worden," zei Dirk en hij vertelde hoe Piet een auto had gecharterd voor een lift.

„Nou, Ben," zei Dirk. „Zullen we maar op huis aan gaan?"

„Kunnen we doen," knikte Ben. „Maar misschien ga je liever eerst naar Drimmelen."

„Waarom? Wat moet ik in Drimmelen?" Dirk keek zijn vader en de bakenmeester vragend aan.

Lucas haalde zijn schouders op en zijn vader probeerde neutraal terug te kijken, maar Dirk zag aan hem dat er iets was. In Drimmelen was iets aan de hand, iets wat met hem te maken had.

„De crossers hebben afgelopen nacht een koerier overgebracht vanuit Werkendam. Hij had belangrijke informatie bij zich over de toestand in het oostelijk deel van het land en in de noordelijke provincies," vertelde Breker Ben.

„Judith!" fluisterde Dirk.

Breker Ben schudde langzaam zijn hoofd. „Ik begrijp dat je daar het eerst aan denkt. Maar hij heeft niet met zoveel woorden over haar of haar familie gesproken. Dat kun je ook moeilijk verwachten. De man maakt deel uit van een verzetsgroep in Assen, of in elk geval daar in de buurt. De familie Koperman houdt zich schuil in de Achterhoek. Dat ligt nogal een eind uit elkaar. Bovendien kan hij moeilijk aan alle verzoeken om familieboodschappen over te brengen, voldoen. Hij heeft wel andere dingen aan zijn hoofd."

„Zoals?" vroeg Dirk, enigszins teleurgesteld.

„Dat kun je hem het beste zelf vragen. Wat ik daarstraks van hem heb gehoord, liegt er niet om. De moffen gaan in het bezette gebied als gekken tekeer en niet alleen in de grote steden in het westen. Razzia's zijn aan de orde van de dag. De kampen zitten bomvol, onder andere het kamp in Amersfoort. En dagelijks komen er ongelukkigen bij, die niet konden vluchten. Dat heeft natuurlijk ook te maken met het toenemende verzet. De knokploegen zijn heel actief. Er is geen Duitser meer die in zijn eentje de straat op durft."

„Oké. Maar wat heeft die koerier mij dan te vertellen?"

„Met de bevrijding van het Zuiden is een stroom NSB'ers naar het Noorden gevlucht. Ook hele afdelingen van de Nederlandse SS en van de WA. Een groot gedeelte van hen is doorgestuurd, Duitsland in, naar het oostelijk front. Maar een aantal is nu actief in Drenthe, Groningen en Friesland. Ook in Gelderland en in de Achterhoek. Ik dacht dat dát je wel zou interesseren."

„Hij weet iets van Bloks, van de Zwarte Meester!" riep Dirk uit, terwijl hij overeind sprong.

„Ook dat heeft hij niet met zoveel woorden gezegd. Maar wat hij allemaal wel te vertellen heeft, leek me belangrijk genoeg om jou met die man in contact te brengen."

„Ik wil die man zien! Ik wil meteen naar hem toe!"

„Dacht je dat jij de enige was?" vroeg Piet van Dijk.

„Dan heeft hij dat verkeerd gedacht," merkte Jan de Zoete droog op. „Wij gaan mee."

„Ja, natuurlijk," zei Dirk, een beetje geïrriteerd. Hij wendde zich tot Ben: „Zullen we dan maar meteen gaan?"

„Daarom zit ik hier op jullie te wachten," zei Ben. „Zie je wel dat je naar Drimmelen wilt? Ik heb het puffertje van je vader maar weer genomen. Dat gaat vlugger en je wordt er niet moe van."

„Wat? Heb je benzine?"

„Zes volle jerrycans. Bij de Canadezen versierd!"

Toen ze door de stille straten naar het haventje liepen, hield Breker Ben de vrienden plotseling tegen. „Er is nog iets," zei hij, tegen Dirk in het bijzonder.

„Wat dan?"

„Tja, je moet het me maar niet kwalijk nemen." Ben lachte als een kwajongen. „Ik was vanmiddag een beetje aan het rondneuzen op onze woonboot en toen vond ik onder jouw bed een leuk schietdingetje..."

„De mitrailleur?"

„Ja. Ik vond het jammer dat die daar zo werkeloos lag te verroesten en daarom heb ik hem maar op de voorplecht van de boot gemonteerd. Je weet nooit waar het goed voor is."

„Een prima idee," vond Piet, voor Dirk iets kon zeggen.

„Slim bedacht," zei die dan ook gauw.

Even later verlieten ze het haventje en voeren dicht onder de wal naar Drimmelen. Het was een rustige avond. Ze hadden geen last van de Duitsers in de Biesbosch, zodat ze al na een klein half uur konden afmeren bij de ingang van de haven.

Een Canadese schildwacht, die even verderop stond, riep een waarschuwing en kwam op het antwoord van Breker Ben dichterbij. Het licht van een staaflantaarn maakte het viertal gedurende een paar seconden duidelijk zichtbaar. Toen doofde het weer. „Oké," zei de Canadees.

Ze liepen het dorp in, in de richting van de Herengracht.

„Waar zit die koerier ergens?" vroeg Dirk.

„Hier," zei Ben, terwijl hij stilstond voor een smal huis.

Ze liepen de trap naast het huis af tot wat de voordeur bleek te zijn. Ben klopte een paar keer en algauw werd de deur geopend door een jonge vrouw. Er kwam een glimlach van herkenning op haar gezicht toen ze Ben zag.

„Kom binnen," zei ze. „Ze zitten al een hele tijd op jullie te wachten."

De vrienden gingen een grote achterkamer binnen. Een luid geroezemoes van stemmen kwam hun tegemoet. Het zag er blauw van de rook. Om een lange tafel zaten zeker tien mannen in opperbeste stemming, als raadsleden na een geslaagde vergadering. Iedereen praatte tegen iedereen, er werd gelachen en geroepen.

„Wat is dit?" vroeg Dirk verbaasd. „Een kaartclub?"

„Nee," zei Breker Ben. „Een ontmoeting van oude vrienden in bevrijd gebied. Een kleine reünie. Kom mee, dan breng ik jullie naar de man die jullie zoeken."

Ze moesten zich achter de stoelen om een weg banen naar het

andere einde van de tafel, waar een man zat in een degelijk driedelig pak. Naast hem zaten twee mannen die Dirk herkende als voormalige leden van het Commando. De koerier had niets avontuurlijks over zich. Het was een gewone man van in de veertig, met een smal, gladgeschoren gezicht. Zijn droeve ogen stonden enigszins flets en zijn asblonde haar begon op de kruin al wat dunner te worden. Hij gaf Dirk een hand en stelde zich voor: „Zeg maar Kok." Zijn buurman voegde daaraan toe: „Dat is hij namelijk."

Dirk knikte. „Ik hoor dat u uit het Noorden komt."

„Dat klopt," zei Kok. „Waarom interesseert je dat?"

Breker Ben gaf antwoord. Hij legde uit waarom hij het drietal had meegebracht.

Kok knikte en keek Dirk met zijn treurige blik aan. „Wat wil je weten?"

„Wat kunt u me vertellen?" was Dirks wedervraag.

„Hier niet veel, vrees ik," zei Kok met een handgebaar naar het drukke gezelschap.

„Neem de opkamer," zei zijn andere buurman, die blijkbaar de heer des huizes was. „Daar worden jullie niet gestoord."

In het kleine kamertje, waar alleen een bed, een klein tafeltje en een stoel stonden, was het na de drukte in de achterkamer prettig rustig. De vrienden en Ben gingen op de rand van het bed zitten; Kok nam plaats op de stoel.

„Waar gaat het precies om?" vroeg Kok.

„Kunt u ons iets vertellen over de situatie in de Achterhoek?" vroeg Dirk. „Markelo en omgeving, om precies te zijn."

„Weinig," luidde het antwoord meteen. „Wat ik ervan weet, heb ik niet zelf gezien. Het is overal een beetje hetzelfde. De nazi's worden onrustig en bang. Er zijn er die door de naderende dreiging wat soepeler gaan optreden. Ze zoeken zelfs toenadering tot het ondergrondse verzet. Ze laten mensen ontsnappen en proberen te bemiddelen. Zo proberen ze hun slechte naam een beetje op te poetsen. Maar er zijn er ook, en ik vrees dat die in de meerderheid zijn, die nog harder optreden tegen de bevolking. In de steden Apeldoorn, Zwolle en Deventer, maar ook verder naar het noorden, worden voortdurend razzia's gehouden. Ze maken jacht op onderduikers, politiemensen en marechaussees die het spel niet mee willen spelen en zich schuilhouden. Ze zoeken illegale werkers en joden. Voor het kleinste vergrijp worden volkomen onschuldige mensen opgepakt en in kampen gestopt. Mensen die konden ontsnappen, vertellen gruwelijke verhalen over martelingen tijdens ondervragingen..."

„En dat doen de Duitsers?" vroeg Piet van Dijk.

„Nou, niet alleen de Duitsers." Het gezicht van Kok kreeg een grimmige uitdrukking. „Het zijn meestal SS-Jagdkommando's. Groepen die bestaan uit SD'ers, maar voor een groot gedeelte ook Nederlandse Waffen SS'ers. Ze komen uit het Zuiden, maar vaak ook van het oostfront. Ze staan meestal onder leiding van een Nederlandse officier. Zo'n Jagdkommando wordt naar die man genoemd. Ze zijn berucht."

„Zegt de naam Bloks u iets?" vroeg Dirk gespannen.

Kok keek bij het horen van de naam op. Hij kneep zijn ogen een beetje dicht, alsof hij na moest denken.

„Nou?" drong Jan de Zoete aan.

„Ik weet het niet," bekende Kok. „Het klinkt bekend. Maar bedenk wel dat ik veel namen hoor. Bloks? Het is mogelijk. Wat is het voor een man?"

„Een luitenant van de Nederlandse SS," antwoordde Dirk. „Hier in de omgeving heeft hij nogal jacht gemaakt op joodse mensen. Hij is naar het Noorden gevlucht, misschien naar de Achterhoek."

Kok schudde zijn hoofd opnieuw. „Ik kan geen ja en geen nee zeggen. Ik weet het echt niet."

„Hoe kom ik er dan achter?" vroeg Dirk.

„Er is maar één manier. Je kunt met me meegaan naar het Noorden."

Dirk keek hem onderzoekend aan. „Meent u dat?"

„Als je niet bang bent voor een beetje risico..."

„Wanneer gaat u terug?"

„Over een week ongeveer. Ik moet nog verslag gaan uitbrengen in Made en bij de inlichtingendienst in Eindhoven."

„Hoe gaat u?"

„Op dezelfde manier waarop ik ben gekomen, via de crosslijn naar Werkendam en verder op eigen gelegenheid."

„Ik ga mee," zei de Vos vastberaden.

7

Even ten noorden van Markelo reed een boerenkar over de stille klinkerweg naar Herike. Voor de kar liep een paard aan een losse teugel; het kende de weg. Naast het paard liep de boer met dezelfde bedachtzame, zekere passen. De kar was hoog beladen met knollen en daarbovenop zaten twee meisjes en een jongen.

Het drietal was vrolijk. Een lange, zware dag op het land zat erop. Bovendien was het een mooie herfstdag, zonder veel wind.

„O!" riep het blonde meisje. „Ik heb zin om iets geks te doen. Ik zou naar een feest willen, lekker de hele nacht dansen!"

„Jij hebt altijd zin om te feesten, Marieke," lachte het andere meisje. Ze had een smal, knap gezicht en lange, donkere haren die met een hoofddoek bij elkaar werden gehouden.

„Miek is gewoon een wilde, dat weet je toch, Johanna," zei de jongeman gelaten. „Zo is ze altijd al geweest. Ik heb mijn uiterste best gedaan haar een beetje in te tomen, maar Miek is een hopeloos geval!"

„Poe! Moet je hem horen. Weet je wat ik van jou niet kan uitstaan, Tom Vorstenbosch? Dat je altijd zo ouwelijk en beschermend doet. Echt de oudere broer, die op zijn zusje moet passen. Daar word ik gewoon misselijk van, weet je dat?"

„Nou, dat is dan heel vervelend," lachte Tom zorgeloos. „Maar ik ben je oudere broer en ik moet van vader en moeder op je passen."

„We schelen nog geen twee jaar!" riep Marieke. „Maar jij doet alsof je tachtig bent. Je bent vreselijk!"

„Vind jij dat ook, Johanna?" vroeg Tom met een brede grijns.

„Laat mij er alsjeblieft buiten," lachte die. „En noem me niet vaker zo dan nodig is. Ik kan gewoon niet wennen aan die naam."

„Graag antwoord op mijn vraag, Johanna!" drong Tom aan.

„Ja, ik vind je ook vreselijk." Haar vrolijke lach schalde door de omgeving.

De boer draaide zijn hoofd om en waarschuwde: „Een beetje minder kan ook wel."

„Oké, we zullen braaf zijn, Deelen," beloofde Marieke meteen.

Uit de tegenovergestelde richting naderden drie Duitse militairen op fietsen. Ze droegen het gewone, groene velduniform met korte laarzen en op hun hoofd de smalle kepie schuin op een oor. Over hun rug hing een geweer, waarvan de draagriem schuin over de borst liep.

Het drietal op de kar verstomde. De vrolijkheid verdween van hun gezicht. Ze probeerden er ontspannen uit te zien. Ze begonnen luchtig en rustig met elkaar te praten, terwijl ze deden of ze de soldaten niet zagen.

Maar die zagen hen wel. Ze gingen over de volle breedte rijden en versperden op die manier de weg.

Snel liep Harm Deelen naar voren en nam het paard bij de teugel. Hij loodste het naar de kant van de weg, maar dat was niet de bedoeling van de Duitsers.

De middelste van hen sprong van zijn fiets en stak zijn hand op. „Guten Tag!"

„Ook goedemiddag," zei Deelen onwillig.

„Wohin fahren Sie?"

De boer keek de Duitser aan met een gezicht waarop te lezen stond dat hij nog nooit zo'n stomme vraag had gehoord. „Naar huis... nach Hause. Waar anders heen? We hebben op het land gewerkt. Arbeit."

„Ach so. Ja, natürlich." De mof gaf zijn fiets aan een kameraad en wandelde op zijn gemak naar de zijkant van de kar. Hij keek omhoog. Zijn ogen namen Tom op, die brutaal terugkeek. Daarna dwaalden zijn ogen naar Marieke en Johanna. Er kwam een brede glimlach op zijn gezicht en hij knikte: „Hallo, schöne Mädels!"

De meisjes probeerden zo spontaan mogelijk te glimlachen.

„Dag," zei Marieke.

Johanna zweeg.

Deelen had zijn paard losgelaten en kwam erbij staan. De soldaat keek hem onderzoekend aan. Terwijl de brede glimlach bleef, ging zijn blik heen en weer van het getaande gezicht naast hem naar de meisjes boven op de knollen.

„Deine Töchter?"

„Ja, dat zijn mijn dochters. Mag het?"

„Sicher, sicher!" haastte de soldaat zich te verzekeren. Toen kwam er een peinzende trek op zijn gezicht en de glimlach verdween een beetje. „Aber die Haare, die Augen, das ganze Gesicht, so anders, was?"

„Verschillende moeders, verschillende dochters," legde boer Deelen volkomen rustig uit. „Zwei Mütter!"

„Ach so? Zwei Mütter," herhaalde de Duitser. Hij keek Johanna nu vol in het gezicht. Ze probeerde zo neutraal mogelijk terug te kijken en te glimlachen, maar dat lukte niet en verward sloeg ze haar ogen neer.

„Wie heissen Sie?"

„Johanna," antwoordde ze onzeker.

„Ah, Johanna? Das ist ein richtig Holländischer Name!" zei hij en de glimlach kwam weer terug. „Ein schöner Name, sogar!"

„Danke."

Hij bleef nog even aarzelend staan, alsof hij niet precies wist hoe het nu verder moest. Zijn vingers trommelden op de bodem van de kar. Er rolde een knolletje van de grote hoop; hij pakte het op en veegde het zand eraf. „Lekker," zei hij en hij beet erin.

„Voor de koeien," zei boer Deelen.

De soldaat trok een vies gezicht, maar legde de knol niet terug. Hij liep naar zijn kameraden, pakte zijn fiets en stapte op. Ze reden weg, opgelucht nagekeken door vier paar ogen.

Deelen liet zijn paard weer verderlopen. Even later sloegen ze een zandpad in naar een boerderij die in de verte tussen de velden lag.

Een paar mannen en een vrouw waren op het erf bezig en bij het naderen van de kar kwamen er nog een man en een vrouw door de achterdeur naar buiten. Achter hen aan kwam een jongen van een jaar of tien. Ze droegen allemaal boerenkleding, maar bij sommigen van hen klopten de kleren niet met het uiterlijk. Ze zagen er niet uit als mensen die in de open lucht werkten en ook hun handen waren te wit en te schoon. Het waren zes mensen in totaal. Wie een beetje mensenkennis had, kon zo de boerin aanwijzen.

Het echtpaar dat net naar buiten kwam, was al wat ouder. De man liep naar de kar en strekte zijn handen uit om Johanna eraf te helpen.

Zij legde haar handen op zijn schouders en kwam licht neer, waarna ze even haar wang tegen de zijne drukte.

Dat verraste hem kennelijk. „Is er iets?" vroeg hij bezorgd.

„Nee hoor."

„We zijn een paar moffen tegengekomen," zei Tom.

„Moffen? Wat wilden ze?" vroeg een van de andere mannen.

„Ze waren een beetje nieuwsgierig, anders niet," zei de boer kalm. „Wie helpt met lossen?"

De mannen boden zich aan; de vrouwen en de oudere man gingen naar binnen.

In de grote woonkeuken was het behaaglijk warm, vooral in de buurt van het grote, witte emaillen fornuis onder de brede schouw. Er stond een grote waterketel op te stomen en ernaast en erachter stonden pannen en schalen. Midden in het vertrek was een lange tafel gedekt voor het avondeten. Er stonden veel stoelen omheen, stoelen die niet bij elkaar pasten.

Aan een klein tafeltje zaten twee kinderen te spelen, een jongen en een meisje. De jongen die zojuist met het oudere paar naar buiten was gegaan, kwam er ook weer bij en al snel klonken hun hoge, heldere stemmen door de keuken.

Het oudere paar was bij het fornuis op een houten bank gaan zitten.

Johanna knielde naast hen op de rode tegels en stak haar handen uit naar de warmte.

„Wat was dat met die Duitsers, Judith?" vroeg Mosjan Koperman. In het normale leven werkte hij als arts. Omdat hij lid was van de Joodse Raad had hij zichzelf en zijn gezin in veiligheid moeten brengen. Daarom zaten ze al een tijdje ondergedoken op deze boerderij, samen met al die andere mensen.

„O, niets, vader," antwoordde Judith. „Gewoon een paar soldaten die even wilden kletsen."

„Je moet toch maar een beetje voorzichtiger zijn," zei Esther, haar moeder. „Ik vind het helemaal niet prettig dat je telkens van het erf af gaat. Ik begrijp best dat je wilt helpen, omdat Deelen en zijn vrouw al zoveel voor ons doen. Maar daarom hoef je jezelf toch niet in gevaar te brengen?"

„Tom en Marieke doen het toch ook?"

„Dat is wat anders en je weet ook waarom. Die twee hebben alleen nog elkaar, hun ouders zijn weg. Ze lopen ook niet zoveel risico. Door hun uiterlijk kunnen ze best doorgaan voor kinderen van de boer. Maar jij bent anders, je lijkt helemaal niet op een dochter van de boer."

„Ik ben een dochter van zijn tweede vrouw," zei Judith lachend. „Dat zei hij tenminste tegen die Duitse soldaat."

„Waarom was het nodig dat hij dat zei?" vroeg dokter Koperman bezorgd. „Maakte die soldaat soms een opmerking over je uiterlijk?"

„Ja, vader," antwoordde Judith ongeduldig. „Maar het had niets te betekenen, echt niet."

„Ik wil niet dat je nog meegaat naar het land," zei haar moeder. „Je brengt niet alleen jezelf in gevaar, maar ons allemaal. Denk aan je broertje." Ze keek naar de kinderen bij het raam. „David heeft meer verstand dan jij, wat dat betreft."

„Pietje, zult u bedoelen," zei Judith, weer met een lach.

„Dat onbezorgde van je maakt me ongerust," zei haar vader

vermanend. „Het begint op roekeloosheid te lijken en dat is wel het laatste dat we kunnen gebruiken."

„Ik ben niet roekeloos," verweerde Judith zich en de vrolijkheid verdween van haar gezicht. „Maar het duurt zo lang, het is zo uitzichtloos allemaal. Ik wil me niet verdrietig voelen. En ik wil ook niet, zoals Marieke, steeds zomaar gaan huilen. Kon ik het maar wel. Het lucht op, zegt ze. Gek is dat. Ze heeft alleen haar broer nog, nu hun ouders zijn opgepakt. Ze weten niet waar die zijn, zelfs niet of ze nog leven. En zij weet zich met een verdrietige bui van een paar minuten zo nu en dan op de been te houden. Ik heb geluk: ons gezin is nog helemaal bij elkaar, we hebben goed te eten, aardige mensen om ons heen, een veilig onderdak. Als ik nu maar wist..."

„Dirk Kromvoort?" vroeg Esther zacht.

Judith knikte. „Het duurt zo lang, ik hoor maar niets van hem," fluisterde ze.

„Je moet geduld hebben, dat moeten we allemaal."

Het meisje richtte haar hoofd op en trok de hoofddoek los. Ze schudde haar lange, donkere haren naar achteren. „Ik héb geen geduld meer."

Haar moeder streelde de haren liefkozend en zei troostend: „Wie weet, hoor je wel heel vlug iets van Dirk."

Hun gesprek werd onderbroken door de boerin, die de pannen op de tafel zette.

Esther en Judith stonden meteen op om te helpen. Mosjan stuurde David, die in het bijzijn van vreemden Pietje genoemd werd, naar de andere huisgenoten om te zeggen dat het eten klaar was.

Judith vond de warme maaltijd, met z'n allen rond de grote

tafel, na elke lange werkdag het gezelligste moment. Vooraf en erna tikte Harm Deelen met de grote pollepel tegen de soeppan. Dat was het teken dat ze een ogenblik stil moesten zijn voor degenen die daar behoefte aan hadden. De meesten maakten daar gebruik van voor een kort gebed.

Zodra de stilte voorbij was, brak het vrolijke geroezemoes los. Over de tafel heen werden verhalen verteld. Er werd gelachen en tussendoor klonken de heldere stemmen van de kinderen. Iemand die plotseling binnenkwam, zou de indruk krijgen van een grote, vrolijke familie en eigenlijk was dat ook zo. Een grote familie, met elkaar verbonden door de oorlog, het gevaar en de angst voor ontdekking.

Na het eten hielpen de vrouwen bij het afruimen en deden de afwas. De mannen gingen naar buiten, waar het al donker was. Ze stonden en zaten bij elkaar tegen de achtergevel, rookten de zelf geteelde tabak van de boer en spraken op gedempte toon met elkaar. De vurige puntjes van sigaret of pijp vonkten nu en dan op en verlichtten even het gezicht van de roker in het omringende donker. Boven hen stonden de sterren in een strakke lucht.

„Er komt vorst," zei Frits van Lanaken, rechercheur uit Zwolle. „Het wordt een lange, koude winter."

„Ik hoop het niet," zei Koos Riemersma, in zijn normale leven machinebankwerker. „Het moet nog december worden."

„Je zult het zien."

Judith en Marieke brachten de kinderen naar bed. Zij sliepen in de voorraadkelder onder de opkamer, wat ze heel spannend en avontuurlijk vonden. Om in de kelder te komen, moest het luik met het trapje worden opgetild; daaronder werd dan de trap naar beneden zichtbaar. Er moest een petroleumlamp mee, want in de kelder was geen elektrisch licht. In de kelder rook het naar zuurkool, gezouten bonen en kruidnagelen. Op planken langs de muur stonden de weckpotten met groenten en fruit.

Judith en Marieke zouden de kinderen later op de avond gezelschap komen houden. De anderen sliepen verspreid over de hele boerderij: op kunstig weggemoffelde bedden achter strobalen in de schuur en op de zolder achter een loze wand van kasten en planken. Er waren schuilplaatsen onder de planken vloer, voor als de nood aan de man kwam. Buiten, tegen de gevel, stond een lange ladder bij het zolderraampje.

De mannen kwamen binnen. Er was koffie. „Vraag me niet hoe ik eraan kom," lachte de boerin elke keer. „Als het op is, is het gedaan!" Ze schoven aan rond het grote fornuis. De mannen gingen kaarten op een hoek van de tafel. De vrouwen stopten sokken of deden verstelwerk. Dat was elke dag nodig, want kleren waren niet meer te krijgen.

Tegen tienen stond Judith op en vroeg aan Marieke: „Zullen we nog even naar buiten gaan?" Dat vroeg ze elke avond, zodat ze even met zijn tweeën rond de boerderij konden wandelen.

Maar deze keer schudde Marieke haar hoofd: „Vind je het erg als ik niet meega? Ik voel me niet zo lekker."

„Ik ga wel met je mee," zei Tom. „Als je het goedvindt, tenminste."

Judith keek hem onderzoekend aan en deed alsof ze de gretige klank in zijn stem niet had gehoord. Ze zei luchtig: „Waarom niet?" Ze nam een omslagdoek van een spijker in de achterdeur en sloeg die om haar schouders. Toen ze naar buiten gingen, huiverde ze onwillekeurig door de verrassende kou die hen tegemoetkwam.

Het was heel stil buiten. In de verte klonk nu en dan het vage geluid van een auto. Aan de zuidelijke horizon verschenen lichtbundels vanaf de grond, als rechtlijnige bliksemschichten die de hemel aftastten, op zoek naar vliegtuigen.

Zwijgend liep Judith naast Tom over het erf. Ze hoorde zijn ademhaling, de stappen van zijn voeten op het harde zand. Ze zag zijn donkere silhouet tegen de oplichtende avondhemel. Ze voelde zijn nabijheid heel bewust en verzette zich ertegen. Tom was best een aardige jongen, ze mocht hem zelfs erg graag, maar hij begon de laatste dagen een beetje opdringerig te doen en daar hield ze niet van. Hij had haar nog geen aanleiding gegeven om dat duidelijk tegen hem te zeggen. Hij was alleen te vaak en te nadrukkelijk aanwezig. Hij deed kleine dingen voor haar waar ze niet om gevraagd had. Ze begreep het wel en in haar hart nam ze het hem ook niet kwalijk. Hij moest zich hopeloos verloren voelen tussen de andere mannen die allemaal zoveel ouder waren dan hij. Hij had geen vriend, zoals zij Marieke had, om mee te praten, om steun bij te zoeken. Judith wilde best aardig tegen hem zijn, maar ook niet meer dan dat.

„Heb je het koud?" vroeg Tom.

„Valt wel mee. Ik vind het eigenlijk wel lekker zo, even de frisse lucht opsnuiven."

„Ik weet wat je bedoelt, binnen is het maar een bedompte boel."

„Dat bedoel ik helemaal niet."

„Soms zou ik hard weg willen lopen, weg van hier," ging Tom verder. „Ik word gek van het boerenleven, van dit uitzichtloze verstoppertje spelen. Dag in, dag uit ben je samen met mensen waar je in normale omstandigheden geen enkele band mee zou hebben. Wil je wel geloven dat ik soms op het punt sta om er echt vandoor te gaan? Als Marieke er niet was..."

„En dan?" vroeg Judith. Ze bleef staan en probeerde zijn gezicht in de schemering te zien, maar ze zag alleen een donkere vlek. „Weet je wat er dan met je zou gebeuren?"

„Nee, maar het kan me niets schelen ook. Alles is beter dan dit. Ik ben geen dorpsmens. Ik hoor in de stad thuis. Met vrienden naar de film, of naar een voetbalwedstrijd gaan. Ik ga hier dood van verveling. Verveel jij je hier niet te pletter?"

„Dat valt wel mee." Ze wist nog net te voorkomen dat ze zei dat ze haar ouders en haar jongere broertje bij zich had. „Ik probeer de verveling te ontlopen en met een beetje moeite lukt dat best."

„Jij hebt makkelijk praten," zuchtte Tom. Hij had haar onuitgesproken woorden toch verstaan.

Het bleef even stil. Geen van beiden maakten aanstalten om de wandeling voort te zetten.

„Judith, ik voel me rot!"

„Dat hebben we allemaal, zo nu en dan."

„Dat zal best, maar bij mij wordt het steeds erger," zei Tom, plotseling op een verdrietige toon. „Jij bent toch ook jong, jij moet toch ook behoefte hebben aan... aan genegenheid."

„Natuurlijk," zei ze waakzaam.

„Ik mag je erg graag."

„Ik vind jou ook een aardige jongen, Tom."

„Is dat alles?" Hij slaakte een diepe zucht. „Ik bedoel dat ik je heel erg graag mag, ik ben gek op je! Dat heb je toch wel gemerkt? Wat ben jij voor een meisje? Wie ben je, Johanna of Judith?"

Ze lachte bijna onhoorbaar om zijn plotselinge heftigheid. „Ik ben beiden, denk ik. Maar natuurlijk in de eerste plaats Judith."

„Judith!" Hij greep haar plotseling vast, probeerde haar naar zich toe te trekken.

„Tom! Laat dat!" Ze probeerde zich los te rukken, maar hij liet haar niet gaan.

Hij boog zich naar haar toe.

Judith wendde haar hoofd af, naar links en naar rechts, maar plotseling zaten haar lippen gevangen in de kus die hij erop drukte. Ze verstarde één ogenblik, toen duwde ze hem met kracht van zich af. „Doe dat nooit meer, Tom Vorstenbosch!" riep ze bevend van verontwaardiging. „Ik wil het niet!"

„Maar waarom niet?" smeekte hij. „Je vindt me toch aardig, je zegt het zelf."

„Maar dat geeft je toch nog niet het recht om me te kussen? Wat ben jij voor een gozer? Kun je niet begrijpen dat ik, dat er... Ach, ik ga naar binnen."

„Wacht! Wacht nog heel even. Wat wilde je zeggen? Er is iemand anders, is dat het?"

„Ja! Er is iemand anders. En hij is de enige voor mij. Ook al is hij nu niet hier en zal ik hem misschien pas over een eeuwigheid weer terugzien."

„Een andere jongen," stelde Tom teleurgesteld vast.

„Ja. Jij kunt niet eens in zijn schaduw staan. Zo, nu weet je het. Laat me voortaan met rust." Ze draaide zich om en liep weg, hem in het donker alleen latend. Ze ging naar binnen en gooide de deur onnodig hard dicht. Ze rukte het luik van de kelder open en klom naar beneden. Daar liet ze zich naast de kleine, rustig slapende Annie op het bed vallen en liet haar tranen de vrije loop.

Buiten stond Tom Vorstenbosch, nog steeds met stomheid geslagen. Hij begreep eigenlijk niet goed wat hij nu voor vreselijks gedaan had, waarom Judith zo heftig had gereageerd. Goed, ze had ergens een vriendje, zei ze, maar wat dan nog? Hij kende ook wel een paar meisjes, waar hij meer dan vriendschappelijk mee was omgegaan. Waar hij zelfs mee door had willen gaan, als de omstandigheden dat hadden toegelaten. Maar die vervloekte oorlog had roet in het eten gegooid, zoals met zoveel dingen. Verdorie, een van die meisjes was opgepakt, net als zijn vader, net als zijn moeder. Wie weet wat er met haar was gebeurd. Mocht hij nu niet meer naar andere meisjes kijken? Moest Judith nu elke jongen afwijzen die in haar buurt durfde te komen? Was dat nodig?

Tom voelde zich beledigd. Spijt van zijn gedrag had hij helemaal niet. Morgen zal ik met haar praten, nam hij zich voor. Ze is lief, ze is heel mooi en ik laat haar niet zomaar glippen voor een hersenschim die waarschijnlijk nooit realiteit wordt.

In het donker stak hij een sigaret op, surrogaattabak die schroeide op je tong en in je keel. Hij hield het gloeiende einde verborgen in de holte van zijn hand en besloot zijn wandeling af te maken, om een beetje te kalmeren. Hij liep om de zijkant van de boerderij heen. Blindelings hield hij het smalle zandpaadje aan, zodat hij zijn benen niet kon stoten aan de burries van de karren die daar onder een afdak stonden. Hij bereikte de voorgevel. Overdag kon hij vanaf deze plaats ver over de velden kijken, tot aan de kerktoren van Schoolbuurt. Dan kon hij het spaarzame verkeer zien, dat over de klinkerweg voorbijreed, of zich amuseren als er in de verte een Duitse colonne passeerde. Het was altijd een spannend moment als ze de afslag naar de boerderij naderden. Hij hield dan even de adem in als het zover was en slaakte een zucht van verlichting als ze doorreden.

Tom vervolgde zijn weg en bleef af en toe staan om naar de lucht te kijken. Heel in de verte ronkten vliegtuigen. Het was echt koud, merkte hij nu en hij zette de kraag van zijn jasje op. Hij hield de sigaret tussen zijn lippen en stak zijn handen in de zakken. Hij passeerde de verduisterde ramen van de woonkeuken, waar de anderen bij elkaar zaten en begon te verlangen naar de warmte binnen. Hij ging wat sneller lopen, wilde de hoek omgaan en bleef toen op slag staan. Zijn sigaret viel uit zijn mond; met zijn voet drukte hij het vurige uiteinde in het zand.

Hij had het geluid van auto's gehoord. Het kwam over de zandweg dichterbij. Hij kon ze niet zien, misschien doordat een groepje kale struiken het zicht belemmerde, maar het kon ook zijn dat ze de lichten gedoofd hadden om ongemerkt naderbij te kunnen komen. Als dat zo was, dan...

Tom bedacht in een flits dat hij niet naar de voorkant moest gaan. Ze zouden hem kunnen opmerken en dan was het te laat. Hij rende terug naar de ramen van de woonkeuken en klopte erop met een haastige roffel. Toen hij bijna onmiddellijk daarna aan de deur hoorde morrelen, drukte hij zijn gezicht ertegen en fluisterde gejaagd: „Niet opendoen! Laat de deur dicht. Gevaar! Doe het licht uit! HET LICHT UIT! Allemaal weg! Weg! Razzia!"

Binnen klonken kreten van schrik en opwinding, verwensingen. Hij hoorde geschuifel van stoelen, rennende voetstappen. Toen dook hij weg, bij de boerderij vandaan.

Het motorgeronk was nu duidelijk hoorbaar. De vrachtwagens, twee, misschien wel drie of vier, reden heel langzaam. Onheilspellend kwamen ze dichterbij.

In een wijde boog ging Tom naar de plek waar het raampje van de kelder was. Het was vlak boven de grond. Hij moest dat raampje open zien te krijgen om de kinderen eruit te halen. Op handen en voeten kroop hij ernaar toe - de Duitsers konden elk moment het erf oprijden - en klopte tegen de kleine ruitjes.

„Annie! Jantje! Pietje!" fluisterde hij wanhopig. „Doe open! Maak het raampje open! Vlug!"

Gelukkig, ze hoorden hem bijna onmiddellijk. Van binnen werd de grendel weggeschoven. Het raampje ging open en meteen stond het helverlichte vierkant scherp afgetekend in de duisternis. Het was Judith die hem met wijd opengesperde ogen aankeek.

„De lamp!" riep Tom ontzet. „Maak die petroleumlamp uit. Er is een razzia! De kinderen, geef de kinderen!"

Er klonk een schreeuw vanaf het erf. Hij kon niet verstaan wat er werd geroepen, maar het was ongetwijfeld Duits. Tom zag het luik van de kelder omhooggaan. Hij zag benen van een man, het was Deelen. Toen doofde Judith de lamp en tegelijk kroop Annie in haar nachtjaponnetje al naar buiten.

„Loop weg, zo hard je kunt!" fluisterde Tom. „Het veld in. Kruip weg! Gauw!"

Hij hoorde voetstappen op het erf, gevolgd door gevloek van iemand die ergens tegenaan liep. Er werd een paar keer hard op de achterdeur gebonsd.

Daar was Jantje; het jongetje rilde van de kou, maar Tom joeg hem weg, achter Annie aan.

Op de tast gaf Judith Pietje aan. Hij sliep nog half, ondanks al het lawaai.

Tom pakte hem over en joeg hem ook het veld in. Terwijl hij achteruit kroop, spoorde hij Judith aan: „Kom! Jij ook!"

Ze dook letterlijk naar buiten, tegen hem aan.

Ze sprongen overeind en struikelend maakten ze dat ze wegkwamen.

Het was allemaal heel snel gegaan. Nog geen minuut had het geduurd. Maar in die korte tijd waren het erf en de boerderij onherkenbaar veranderd. Schijnwerpers flitsten aan en verlichtten de hele omgeving. De achterdeur werd ingetrapt en gehelmde soldaten stormden naar binnen, schreeuwend en vloekend in het Duits en het Nederlands.

Frits van Lanaken en Koos Riemersma, die in de schuilplaats onder de plankenvloer wilden duiken, redden het niet. Ze werden gegrepen, terwijl ze met hun bovenlichaam nog boven de vloer uitstaken.

Esther en Mosjan Koperman hadden zich niet verroerd. Ze waren bij het fornuis blijven zitten, hand in hand. Harm Deelen had nog geprobeerd om hen weg te krijgen, door de voordeur naar buiten, maar de dokter had berustend het hoofd geschud.

„Het heeft geen zin," fluisterde hij zacht. „Wij zijn te oud, we redden het toch niet. Wij blijven bij jullie."

Toen stormden de SS'ers de woonkeuken binnen. Ze sloegen Harm, die een nutteloze poging deed om hen tegen te houden, met de kolf van een geweer tegen de grond en verspreidden

Judith dook naar buiten. (blz. 132)

zich door de andere vertrekken.

Direct achter hen aan verscheen een officier in de deuropening. Hij droeg het zwarte uniform van de Nederlandse SS en zijn smalle, hanige gezicht met daarin de kleine, priemende ogen stond triomfantelijk. Hij keek naar de boer, die op de grond zat met zijn hoofd in zijn handen en naar de twee vrouwen en de man bij het fornuis. Hij glimlachte spottend. Terwijl hij met een zweepje tegen zijn dijbeen sloeg, kwam hij dichterbij. Hij keek Mosjan Koperman minachtend aan en zei: „Dat is een verrassing. Kennen wij elkaar niet?"

De dokter keek terug. Hij had zichzelf volkomen in bedwang. „Nee," zei hij beslist, „ik zou niet weten waarvan. Ik vraag mij trouwens af wat deze vertoning moet voorstellen. Wij zijn voor een paar dagen te gast bij deze aardige mensen en u komt hier binnenstormen alsof we misdadigers zijn!"

Op dat moment werden Van Lanaken en Riemersma de keuken in geduwd. Ze zagen er miserabel uit; Van Lanaken bloedde uit zijn neus en een oor, Riemersma had een gescheurde bovenlip waardoor het leek alsof hij voortdurend grijnsde.

„Aardige mensen, zei u toch... dokter Koperman?" snauwde de luitenant. „Want dat bent u toch? U bent toch dokter Mosjan Koperman uit Dordrecht? Wij zijn oude bekenden, dokter! Ik ben luitenant Bloks!"

„Lieve help," fluisterde Esther ontzet.

„Die naam zegt mij niets," hield de dokter vol. „En u vergist zich. Ik ken geen dokter Koperman. Mijn naam is Verhulst, Henricus Verhulst. Ik kan u mijn papieren laten zien." Zijn hand ging naar de binnenzak van zijn jasje.

„Laat dat! Geen smoesjes! Jij bent de jodenman Koperman en

zij..." – het zweepje wees naar Esther – „zij is jouw vrouw. Waar zijn je kinderen? Met je zoontje David heb ik al ooit kennisgemaakt. Ik ben benieuwd naar je dochter. Judith, zo heet ze toch?"

„Wij... wij hebben geen kinderen," zei Esther dapper.

„Genoeg!" schreeuwde de Zwarte Meester. „Jullie gaan mee en ik zal de waarheid wel uit jullie krijgen. Voor jullie op transport gaan, weet ik alles! Alle namen van de varkens die zich met jullie ondergrondse gewroet bezighouden, die jullie onderdak verschaft hebben. Voer ze af! Abführen!"

Hoe ver hadden Judith en Tom gerend, de kinderen voor zich uit jagend, duwend, dragend? Toen ze eindelijk durfden te rusten, ploften ze uitgeput neer op de dennennaalden in een klein bosje. Een groepje bomen, midden in het open akkerland. Er stonden struiken en daar kropen ze onder, dicht tegen elkaar. Ze waren bezweet; hun voeten brandden en waren kapot, maar ze voelden het nauwelijks.

De kinderen waren wonderlijk stil; ze huilden niet en klaagden niet. David klampte zich aan zijn zus vast. Tom ontfermde zich over Annie en de andere jongen. Hij trok zijn colbertje uit en dekte hen toe. Zo probeerde hij de kilte van de eerste vriesnacht van het seizoen tegen te houden. Maar het hielp niet. In korte tijd maakte het zweet op hun verhitte huid plaats voor kippenvel. De kou, vooral zo laag bij de grond, drong hun nauwelijks bedekte lichamen binnen. Ze lagen te rillen en te klappertanden.

„We kunnen hier niet blijven," zei Tom fluisterend. „De kinderen worden ziek. We moeten zorgen dat we onderdak vinden."

Judith reageerde niet. Ze lag met de kleine David in haar armen. Pas nu drong goed tot haar door wat er gebeurd was. Haar vader en moeder waren waarschijnlijk in handen van de Duitsers gevallen, uitgerekend nu, nu de bevrijding niet ver meer kon zijn.

De gedachte dat haar ouders gevangen waren, afgevoerd, wie weet waarheen, opgesloten in een cel, ondervraagd, misschien zelfs... Ze durfde, ze wilde niet aan dat laatste afschuwelijke denken en probeerde de schrikbeelden die in haar opkwamen wanhopig terug te dringen. Het lukte niet. „O," kreunde ze, terwijl de tranen over haar wangen begonnen te stromen. „Wat vreselijk! Dit... dit kan toch niet. Wat is dit toch, waarom gebeurt dit? Het is zo oneerlijk!"

„Ja, Judith," antwoordde Tom. „Ik heb me hetzelfde afgevraagd toen mijn ouders werden opgepakt. Ik had wel een antwoord, toen. Mijn vader hield zich met ondergronds werk bezig, hij was drukker. Hij maakte valse persoonsbewijzen, zegels en bonnen voor levensmiddelen. Ze hebben hem verraden. Hij is gepakt en mijn moeder met hem. Maar hij wist dat dat kon gebeuren. Jouw ouders, Judith, hebben nooit iemand iets misdaan en toch worden ze vervolgd door een krankzinnige haat."

„Ik heb het zo koud," zei Annie huilend.

„Ik ook, ik heb het ook koud," klaagde David. „Blijven we hier nog lang?"

„Nee, lieverd," antwoordde Judith, terwijl ze probeerde weer zichzelf te worden. „We zoeken zo vlug mogelijk onderdak. We moeten nog even wachten tot alles veilig is."

„Wanneer is dat?"

„Heel gauw," beloofde Tom. Hij stond op en liep naar de rand van de bomengroep. Hij keek naar de boerderij van Deelen, die daar ergens in de verte moest zijn, maar zag hem niet. Ongetwijfeld waren de overvallers al vertrokken met hun gevangenen. In dat geval was de boerderij nu leeg en onbeheerd. Hij bedacht dat er waarschijnlijk geen veiliger plaats was dan juist de boerderij. Tenzij er wachtposten achtergelaten waren, maar dat was niet erg aannemelijk. „Judith, luister goed. Ik ga terug om poolshoogte te nemen. Blijf hier wachten. Als alles veilig is, zal ik een lichtsein geven. Ik zal een lamp aansteken en die een paar maal heen en weer zwaaien. Als je dat ziet, kun je komen, niet eerder. Gesnapt?"

„Begrepen," zei Judith. „Maar wees voorzichtig."

Tom verdween in de nacht. Even zag ze zijn lichte overhemd nog in het donker, toen was hij weg. Ze was alleen met de kinderen. Na een eeuwigheid van ongerust wachten, zag ze in de verte een lichtpuntje dat langzaam heen en weer ging en toen weer doofde. Judith zette Annie op haar schouders en gaf de jongens een hand. Zo liepen ze terug naar de plaats van de ramp, verkleumd en zonder hoop.

8

Dirk probeerde de dagen tot zijn vertrek met de koerier Kok zo goed mogelijk te vullen. Vaak zwierf hij met Jan en Piet door het gebied ten noorden en ten westen van de Noordplaat. Breker Ben ging meestal niet mee, hij bleef toch een individualist.

Een paar dagen na de ontmoeting met koerier Kok, werd Dirk wakker omdat er aan zijn arm werd getrokken. Hij deed zijn ogen open en zag Breker Ben staan, in het vage licht van het spaarbrandertje op tafel.

„Wat is er?" vroeg Dirk, terwijl hij overeind ging zitten. Hij zag dat Ben helemaal gekleed was en dat hij een pistool op zijn heup droeg. „Waar wil je op af?"

„Vraag me liever waar ik vandaan kom," antwoordde Ben. „Ik ben al de halve nacht in touw geweest."

„Was je weg? Daar heb ik niets van gehoord. Waarom heb je me niet gewaarschuwd?"

„Dat vond ik niet nodig," zei Ben luchtig.

„Maar je vindt het wel nodig me wakker te maken," constateerde Dirk. „Hoe laat is het eigenlijk?" Hij keek op zijn horloge. „Half vijf. Dat is zelfs voor mij aan de vroege kant." Hij stond op en schoot meteen in zijn kleren. Hij waste zijn gezicht, maakte zijn haren nat en trok er een kam doorheen. Daarna deed hij de koppelriem met zijn pistool om.

Al die tijd sloeg Breker Ben hem zwijgend gade, maar toen Dirk brood uit het provisiekastje wilde halen, zei hij: „Daar is eigenlijk geen tijd voor."

„Wil je me nu eindelijk eens zeggen wat er aan de hand is?" vroeg Dirk, een beetje geërgerd.

„Je gelooft het niet als ik het je vertel. Je moet het zien."

„Luister!" De Vos werd nu echt een beetje boos. „Je maakt me wakker, ik neem aan omdat er iets bijzonders is. Ik sta op en kleed me aan. Er is geen tijd om iets te eten, zeg je. Maar je wilt me niet vertellen waarom niet. Ik krijg zin om weer in mijn nest te kruipen!"

„Dat zou ik maar niet doen, want daar zou je wel eens spijt van kunnen krijgen," zei Ben rustig. „Kom, we moeten weg."

„En de anderen? Moeten Piet en Jan niet mee?"

„Niet nodig. We kunnen het met ons tweeën wel af."

„Het wordt steeds gekker. We moeten hen waarschuwen."

„Laat ze maar uitslapen. Leg een briefje op tafel."

Dirk keek Breker Ben aarzelend aan, maar die vertrok geen spier. Zuchtend krabbelde hij een paar regels op een blaadje en legde dat goed zichtbaar op tafel. „Vooruit dan maar."

Ze gingen naar buiten. Het was knap koud.

Dirk wilde de roeiboot nemen, maar Breker Ben hield hem tegen. „We gaan met het bootje van je vader. Dat gaat vlugger. Bovendien hebben we de ruimte nodig."

„Het maakt wel lawaai."

„Dat is niet zo'n probleem, het is vlakbij."

„Kun je me dan tenminste zeggen waar we heen gaan?" vroeg Dirk geërgerd.

„Ja hoor. We gaan naar de Honderd en Dertig."

„Maar daar zijn we gisteren nog geweest. Daar is niks aan de hand. Geen mof te zien."

„Je hebt gelijk, wat dat laatste betreft. Voor de rest... wacht maar af." Ben wilde starten, maar Dirk hield hem tegen.

„Nee, dat doe ik niet. Je vertelt me eerst wat we gaan doen, wat er voor bijzonders te beleven valt, of ik doe niet mee. Ik heb een hekel aan raadseltjes."

„Kom nu maar, ik vertel het je onderweg. We hebben echt geen tijd te verliezen." Ben wachtte geen verdere reacties af en even later verlieten ze de kreek.

Het was hoog tij en daardoor konden ze moeiteloos het Gat van de Honderd en Dertig bereiken. Het was aardedonker, maar Ben, die aan het roer zat, had geen problemen met het vinden van de juiste vaargeul. Zo bereikten ze in korte tijd de kop van de Polder Keizersdijk.

Toen ze eenmaal zover waren, zette Ben de motor af en liet de boot in het metershoge riet van de beschoeiing lopen. „Hoe vaak zijn wij de laatste tijd op de Honderd en Dertig geweest?" begon hij zonder inleiding. „Een of tweemaal per week?"

„Zoiets, ja."

„En al die keren hebben we onze ogen goed de kost gegeven, nietwaar? We hebben gezocht naar Duitse patrouilles, we hebben met de boeren gepraat. En toch hebben we al die keren iets over het hoofd gezien."

„Vertel het nou maar gewoon, Ben!" kreunde Dirk. „Ik word doodmoe van je, zo vroeg in de morgen."

„Er zitten nog onderduikers bij de kreek die tussen de Honderd en Dertig en de Keizersdijk ligt."

„Onderduikers?" vroeg Dirk ongelovig. „Dat kan niet. Bij de bevrijding zijn alle mensen weggetrokken. Alleen de boeren in de Annapolder zijn gebleven."

„Dat dacht ik ook," bevestigde Breker Ben. „Dat dacht iedereen. Maar het is niet zo. Je zult het dadelijk zien. En ik garandeer je dat je je ogen niet zult geloven."

„Je maakt me nou wel heel erg nieuwsgierig!" riep Dirk bijna wanhopig.

Breker Ben grinnikte. Ze voeren door tot ze bij een klein perceel van griendhout en riet kwamen. Het lag te midden van de akkers en weilanden. Het was maar honderd meter lang en hooguit dertig meter breed, maar het was dicht en ontoegankelijk. De bodem was meer water dan vaste grond en zelfs dat droge gedeelte verdween bij hoog tij onder het wateroppervlak.

Ben zette de motor af. Hij pakte een staaflantaarn en bescheen kort de overwoekerde griendkade, tot hij een plaats had gevonden om aan land te gaan. Hij ging van boord en legde de boot vast.

„De rest is voetenwerk," legde hij uit. „Blijf maar vlak achter me, anders raken we elkaar kwijt."

„Wie denk je dat je voor je hebt?" vroeg Dirk verontwaardigd. „Wie is er hier nu kind aan huis, jij of ik?" Prompt schoot hij met een been tot aan zijn kuit in de weke modder. „Stik!"

Ben grinnikte: „Je laat de mensen schrikken."

„Over welke mensen heb je het in vredesnaam?"

„Nog heel even geduld."

Terwijl hij nu en dan met de lantaarn voor zich uit scheen, baande Breker Ben zich een weg door het bijna ondoordringbare struikgewas.

Toen ze misschien tien meter hadden afgelegd, klonk er plotseling gekraak van takken, alsof iemand zich haastig uit de voeten maakte.

„Schrik niet!" riep Ben op gedempte toon. „Goed volk!"

„Wie is daar?" vroeg een angstige mannenstem.

„Breker Ben."

„Alleen?"

„Ik heb een vriend bij me. Een goede vriend." Nu scheen Ben met de lantaarn in het dichte hout en Dirk ontdekte een verwilderd gezicht onder een zwarte, slappe hoed.

De man knipperde tegen het licht en gebaarde dat de lantaarn uit moest. Toen draaide hij zich om en liep weg, voor de anderen uit.

„Ik heb je gewaarschuwd dat je je ogen niet zult geloven," fluisterde Ben, terwijl ze de man volgden. „Je zult zien, de wonderen zijn de wereld nog niet uit."

Even later begreep de Vos wat hij bedoelde. Ze kwamen uit bij een kleine heuvel te midden van het moeras, waar het griendhout was weggekapt. Van dat hout was een kleine hut gebouwd, niet zoals de griendwerkers dat deden, maar provisorisch en onhandig, zoals een kind een hut zou bouwen. De hut was afgedekt met riet, om de tocht en de grootste kou buiten te houden. Voor de opening, die net groot genoeg was om doorheen te kruipen, hing een stuk zeildoek.

Toen ze dichterbij kwamen, ging dat stuk zeildoek opzij en in het licht van de lantaarn zag Dirk het gezicht van een vrouw die snel weer terugdook.

„Het is goed, Rebby," suste de man.

Nu kwam ze helemaal te voorschijn. Aarzelend stond ze voor

de hut, in een slonzige, smerige jas. Ze strekte haar hand uit naar de man, die naar haar toe ging en zijn arm om haar schouders sloeg.

„Mag ik je voorstellen, Rebby en Sam van Loon!" zei Breker Ben op een nonchalante manier. „Joodse mensen die zich hier nog steeds schuilhouden voor de moffen. Die niet weten en ook niet kunnen geloven, dat de bevrijders al aan de andere kant van de Amer staan. Ze zitten hier al sinds half oktober. Ze zijn vanuit het Noorden de Biesbosch in getrokken. Uit angst voor ontdekking hebben ze met niemand contact gezocht. Ze zijn gewoon zo diep mogelijk weggekropen in de modder. Zij, en de anderen."

„De anderen?" vroeg Dirk ontzet. „Zijn er dan nog meer?"

„Dat zul je wel zien," zei Ben grimmig. „Roep ze maar, Sam!"

Sam deed het doek opzij en riep iets naar binnen. Toen zag de Vos voor zijn verbaasde ogen allerlei mensen uit de kleine hut naar buiten komen. Drie, vier kinderen, een man, nog een oudere man, een jonge vrouw. Ze zagen er stuk voor stuk verschrikkelijk uit, verkleumd, hongerig en verwaarloosd. In hun ogen was de doodsangst te lezen die hen hierheen gedreven had, naar deze wildernis, waarin ze zich veilig voelden en waar ze volkomen afgesneden waren van de buitenwereld.

Dirk kon geen woord uitbrengen, hij kon alleen maar kijken en niet-begrijpend met zijn hoofd schudden.

„Wat zeg je nu?" vroeg Ben op fluistertoon.

„Ik ben sprakeloos," bekende Dirk. „Hoe kan dit? Hoe is dit toch mogelijk? Is er dan niemand die deze mensen heeft verteld dat ze zichzelf in veiligheid konden brengen?"

„Ik was de eerste die ze na weken spraken," zei Ben. „Puur

toeval. Al die tijd hebben ze op een onvoorstelbare manier geleefd. Overdag hielden ze zich schuil en 's nachts gingen ze op zoek naar eten. Ze haalden knollen van het land. Soms vonden ze een paar eieren die de kippen in de weilanden hadden gelegd. Ze hebben rauwe vis gegeten, omdat ze geen vuur durfden te maken. Twee gezinnen en een opa, die zo bang waren dat ze geen uitweg meer wisten. Alle andere leden van hun familie zijn opgepakt en weggevoerd naar de concentratiekampen. Ze wilden maar één ding: overleven."

„Ze moeten hier natuurlijk weg," begreep Dirk.

„Ja. Toen ik hen daarstraks hier vond, wilden ze mij niet geloven. Daarom ben ik jou komen halen, als een tweede getuige."

De man die Sam heette, kwam naar voren. Hij pakte Dirk bij zijn mouw en vroeg achterdochtig: „Is het waar wat je vriend zegt? Is het Zuiden vrij?"

„Zo vrij als maar kan," bevestigde Dirk en hij moest moeite doen om zijn emoties onder controle te houden. „Wij zullen jullie erheen brengen. Als we vlug zijn, kan het nog voor het tij gaat zakken. Binnen een uur hebben jullie schone kleren aan en zitten jullie dikke boterhammen te eten, dat garandeer ik je. Grote, witte boterhammen met boter en cornedbeef van de Canadezen. Geloof ons nu maar en ga gauw mee. Ik kan dit niet langer aanzien!"

Toch aarzelden ze nog. Sam moest met grote overtuiging inpraten op zijn lotgenoten, voor ze bereid waren het kleine, maar veilige nest te verlaten. Het waren de kinderen die opgewonden aandrongen om mee te gaan met de twee mannen die midden in de nacht waren gekomen om hen te verlossen. Toen pas gaven de volwassenen zich gewonnen.

In een lange rij achter elkaar, met Breker Ben voorop en de Vos als laatste, liepen ze naar de motorboot, die bijna tot de rand in het water lag toen iedereen aan boord was gestapt.

Ze voeren weg en toen ze het brede water van de Amer overstaken, was in het oosten het eerste licht van de nieuwe dag te zien. Het leek wel een voorbode van vrijheid voor de joodse mensen. Ze staarden verdwaasd en onwezenlijk naar de vrije overkant, een nieuwe toekomst tegemoet.

Dezelfde dag ondernamen Piet van Dijk en Jan de Zoete een tocht naar de Visplaat, naar Martien van Lent. Toen de crossings op gang waren gekomen, was Martien zich opnieuw nuttig gaan maken. Hij hield de bewegingen van de Duitsers op de westelijke oever van de Nieuwe Merwede scherp in de gaten. Hij gaf posities door als er wachtposten werden verplaatst en hield een schema bij van de bewegingen van de patrouilles, die op schijnbaar onregelmatige tijden de waterwegen van de Biesbosch onveilig kwamen maken. Zo ontdekte hij dat er periodes waren waarin niet gepatrouilleerd werd, tenminste niet aan de westelijke kant. Op dit moment leek dat nog niet zo belangrijk, want de crossings vonden aan de oostkant plaats, maar dat kon altijd veranderen.

Toen Breker Ben en Dirk terugkeerden van hun reddingsactie van de joodse kolonie op de Honderd en Dertig, waren ze allebei bekaf. En hoewel er die middag een bezoek aan de Visplaat was gepland, bleven Dirk en Ben liever in hun kooi op de woonboot om een paar uur bij te komen.

Omdat ze niet wilden dat Martien vergeefs uren op hen zou zitten wachten, gingen Jan en Piet op pad. Ze zouden tegelijk voorzichtig bij de Griendplaat kijken of de wachtpost daar nog steeds intact was en hoe het huis van de Kromvoorts erbij stond.

Jan en Piet verlieten met de roeiboot het beschermende griendland meteen na de middag, want ze wilden voor het donker weer terug zijn. Ze waren van plan noordelijk om de Griendplaat heen te varen, naar het Gat van Van Kampen. Dat plan moesten ze gauw opgeven. Ze merkten juist op tijd dat het ongewoon druk was bij de Griendplaat, rond het huis van de Kromvoorts. Er lagen twee snelboten met draaiende motoren bij de kleine steiger, en op het kleine eiland wemelde het van de zwaarbewapende Duitsers. Wat er precies aan de hand was, konden Piet en Jan niet ontdekken. Ze durfden ook niet het risico te nemen dichterbij te komen. Ze bogen snel af in de richting van het Kooigat en zorgden er wel voor dat ze dicht onder de hoog begroeide griendkades bleven.

Zonder kleerscheuren bereikten ze de kop van de Polder Visplaat en besloten de roeiboot daar achter te laten. Tot hun kuiten in het ijskoude water staand trokken ze de boot in het hoge, buitendijkse riet. Ze overtuigden zich ervan dat hij goed vastlag, voor ze aan de wandeling naar Van Lent begonnen.

Martien van Lent zat inderdaad op hen te wachten. „Ik had jullie veel eerder verwacht," zei hij.

Jan legde uit waarom ze zo laat waren.

Martien glimlachte toen hij het opmerkelijke verhaal over de joodse mensen hoorde. „Er gebeuren soms de gekste dingen," knikte hij. „Het is maar goed dat jullie toch zijn gekomen, want er is een klus die zo snel mogelijk geregeld moet worden, tenminste als een van jullie er nog zin in heeft."

„Laat maar horen," zei Jan.

„Eerst die natte spullen uit," kwam vrouw Van Lent ertussen. „Ik wil niet dat jullie een longontsteking oplopen."

„Als we daar vatbaar voor waren, hadden we het allang te pakken," grijnsde Piet. Ze deden hun natte kousen en schoenen toch uit en accepteerden dankbaar een bord hete soep, waar royale stukken vlees in dreven.

„Kippensoep!" zei Jan verrukt. „Wat een luxe!"

„Eendensoep," verbeterde vrouw Van Lent.

„Mag ik nu mijn verhaal afsteken?" vroeg Martien op komisch onderdanige toon aan zijn vrouw, met een knipoog naar de jongens.

„Je gaat je gang maar," was het droge antwoord.

„Afgelopen nacht is er boven het Eiland van Dordrecht een bommenwerper neergehaald," begon de kooiker. „Ik werd wakker van het lawaai van onregelmatig ronkende motoren. Ik ben uit bed gesprongen en naar buiten gerend. Het aangeschoten toestel kwam hier pal overheen. Het vloog laag en slingerde. De piloot heeft waarschijnlijk nog geprobeerd naar het zuiden uit te wijken, maar aan een kant stonden de motoren in brand, waardoor het toestel stuurloos was. In plaats van naar het zuiden, zwenkte het toestel af in noordelijke richting. Ik kon de glijvlucht helemaal volgen. Het vliegtuig zat gevangen in de zoeklichten die bij de meeste posten staan opgesteld. Ik verwachtte dat hij midden in de Biesbosch zou neerkomen. Toen zag ik witte stipjes uit het vliegtuig springen... De bemanning heeft zich dus in veiligheid proberen te brengen. Vlak daarop dook het toestel met de neus naar beneden en stortte neer, ik denk in de buurt van de Polder Muggenwaard. Zeker weet ik dat niet, de afstand was te groot. Er werd druk op de parachutes geschoten en ik weet niet of ze geraakt zijn. Ik heb er een paar zien neerkomen en," Martien glimlachte bijna verontschuldigend, „ik heb er twee op kunnen pikken."

„Waar zijn ze?" vroeg Jan de Zoete opgewonden.

De kooiker maakte een gebaar. „In veiligheid. Een van hen had zijn enkel gebroken, die moest geholpen worden."

„Jij hebt op klaarlichte dag twee Engelsen naar de overkant gebracht?" vroeg Jan verbaasd. „Dat noem ik brutaal."

„Ik had geen keus. Maar daar gaat het nu niet om. Waar het wel om gaat, is dat er nog verschillende bemanningsleden rondzwerven. Daar zijn mogelijk gewonden bij. De Duitsers zijn de Biesbosch ingetrokken om ze op te sporen..."

„Dat hebben we gemerkt," zei Piet.

„Juist. Dan snap je ook dat, wat ik jullie wil vragen, riskant is."

„Je wilt dat wij de omgeving van de Muggenwaard afzoeken naar de rest van de bemanning," stelde Jan vast.

„Je mag nooit meer raden," zei Van Lent. „Hoe zijn jullie hier gekomen?"

„Met de roeiboot," antwoordde Piet. „Hij ligt aan de Noorddijk in het riet."

„Dat is mooi, maar niet mooi genoeg," peinsde de kooiker. „Met zo'n log ding begin je niet veel tussen de kwelders en slikplaten. Voor je er erg in hebt, word je verrast door het laag tij en dan zit je vast. Jullie zouden een of twee kano's of kajaks moeten hebben, net als de crossers. Die zijn beweeglijk en snel en je kunt je ermee door de smalste kreek wringen. Bovendien kun je zo'n ding op je nek nemen als je je over land uit de voeten moet maken. Ja, een kajak is eigenlijk onmisbaar."

„Weet jij een adres waar we zo'n ding kunnen kopen?" vroeg Piet. „Over de kosten hoef je je geen zorgen te maken, we betalen later wel."

„Dat zal wel lukken," knikte Martien grijnzend. „Ik heb er een achter het huis liggen. Speciaal voor jullie versierd. Kom maar eens kijken!"

„Niet op blote voeten naar buiten," hield zijn vrouw hen tegen. „Eerst jullie kousen en schoenen weer aan. Ze zijn bijna droog."

Het was een echte Canadese kajak, met opgekrulde voorsteven en achterplecht. Hij zag er nog goed uit. Van Lent had hem verborgen onder een stuk zeildoek en wat griendhout.

Piet en Jan waren enthousiast. En toen ze de ranke boot optilden en merkten hoe licht hij was en hoe makkelijk te vervoeren, werden ze helemaal vrolijk.

„Hij komt van de crossline," zei de kooiker. „Ik wilde hier ook een kano hebben, want met de hoeveelheid Duitsers die er nu in de Biesbosch rondlopen, moet je ook iets hebben om door de kleinste kreekjes te kunnen varen."

„Mogen we hem meteen meenemen?" vroeg Jan enthousiast.

„Natuurlijk. Tenminste, als jullie beloven op zoek te gaan naar die bemanning. Tussen haakjes, wie van jullie beiden kan er met zo'n kajak omgaan?"

De jongens keken elkaar even aan.

Martien zag het. „Geen van beiden, dus. Doe mij een plezier en laat de meest ervaren zeeman ermee varen. Jullie zijn aardige jongens, maar ik zou het jammer vinden als de kajak kapot zou gaan."

„Ja hoor, dat is dus Dirk weer," merkte Jan een beetje nijdig op. „Maar dat betekent wel, dat we eerst terug moeten naar de woonboot."

„Je komt er bijna langs," zei Van Lent. „Als jullie met de roeiboot de bredere vaargeulen nemen en Dirk doorzoekt de smalle kreken, dan wordt er ook niets overgeslagen."

„Daar zit iets in," knikte Piet. „Nou, zullen we dan maar gaan, Jan?"

„Moeten jullie niet wat meenemen?" vroeg Martien met een twinkeling in zijn ogen. „Een paar eenden misschien? Jullie vonden de soep wel lekker, dacht ik."

Dat lieten de vrienden zich geen twee keer zeggen.

Ze gingen dezelfde weg terug als waarlangs ze gekomen waren, maar nu bleven ze onder aan de dijk. Twee mannen met een kajak op hun schouders zou wat al te veel opvallen.

„Wat nu?" vroeg Piet, bij de roeiboot aangekomen. „Wie gaat er in de roeiboot en wie neemt de kajak?"

„Neem jij de kajak maar," zei Jan nogal gul voor zijn doen.

„Ach, welnee," wimpelde Piet af. „Ik zal de roeiboot wel naar huis ploeteren. Pak jij de kajak."

„Nee. Ik kan niet met zo'n ding omgaan."

„Ik heb er ook nog nooit mee gevaren."

Ze glimlachten schaapachtig tegen elkaar.

„Dan is er maar één oplossing," besliste Jan.

Even later lag de kajak in de lengte op de roeiboot. Ze konden zich er nog net aan weerskanten langs wringen om ieder een roeispaan te pakken. Zo gingen ze op huis aan.

Breker Ben en Dirk zaten naast elkaar op het dek te vissen toen de twee anderen aankwamen. Ze sprongen verrast op toen ze zagen wat ze bij zich hadden.

Dirk was enthousiast. „Dat hadden we net nodig!"

„Als je hoort waarvoor we hem hebben meegekregen, zul je wel anders piepen," meende Piet. Kort legde hij de boodschap van Martien van Lent uit.

„Waarom zou ik anders piepen?" vroeg de Vos. „We gaan er meteen op af. Jullie met de roeiboot, ik met de kajak." Hij keek Ben aan. „Ben, wat doe jij?"

„Ik zou best mee willen, maar ik denk dat er dan weinig plaats overblijft voor de mensen die jullie gaan zoeken. Misschien ga ik hier in de buurt wat rondtuffen met onze oceaanstomer."

„Nog niet zo'n slecht idee," knikte Dirk. „Luister, we gaan samen tot vlakbij de Ganzewei. Daar gaan we uit elkaar. Jullie gaan links om de Polder De Kroon en De Zalm en dan richting de Middelste Kievitswaard. Ik ga binnendoor, om de Polder Vogelenzang en vandaar tussen de Vogelenzang en Donderzand door. We ontmoeten elkaar weer tussen De Kroon en de Zalm en de grote Muggenwaard. Als het klopt wat Martien heeft gezien, moeten we ze dan wel een keer tegen het lijf zijn gelopen. Terug pakken we route van de ander. Dan zien we dezelfde route van een andere kant en dan kunnen we niets missen. Oké?"

„Oké."

„Dan zijn we weg. En jij, Ben," Dirk trok een quasi ernstig gezicht, „je hoeft met het eten niet op ons te wachten."

9

De dag was al een heel eind gevorderd toen ze de smalle kreek uit voeren waarin de woonboot verscholen lag. Dirk had nog nooit in een kajak gezeten, maar in kano's des te meer. Het kostte hem maar een paar minuten om de toch wat anders gebouwde, slanke boot volledig te beheersen. Zo'n kajak was iets breder dan een kano en ook langer. Hij lag niet zo stabiel op het water, maar wie ermee om kon gaan, merkte algauw dat hij ontzettend snel en wendbaar was. Toen Dirk bij de Noordplaat kwam, had hij de anderen al aardig achter zich gelaten. Hij draaide zich om en zwaaide nog even, voor hij een smalle kreek in voer, die hem aan het gezicht onttrok.

Dirk ging lekker. Denkend aan de waarschuwing van zijn vrienden dat de Duitsers volop aan het patrouilleren waren, bleef hij dicht langs de oostkant van de Noordplaat. Elke kil, ieder stroompje was met de kajak te bevaren, zolang er wat water in stond. Ondanks de ernst van de missie genoot de Vos. Eigenlijk moesten we allemaal een kajak hebben, fantaseerde hij. Dan zouden we alle kanten op kunnen. Het gebied dat we in een dag of nacht konden bevaren, zou veel groter zijn, en onze acties zouden veel meer resultaat kunnen opleveren.

Hij was nu boven de Noordplaat gekomen en koos een geul vlak onder de grienddijk. Langs de geul lag een langgerekte, spaarzaam begroeide zandbank.

Toen hij bijna aan het einde daarvan was, hoorde hij motorgeronk. Onmiddellijk haalde hij zijn peddel binnen boord en dook in elkaar. Net op tijd!

Er naderden twee snelboten vlak achter elkaar. Duitse soldaten, met het machinepistool in de aanslag, hielden aan beide kanten de oevers in het oog. Op de voorplecht en op de lage kajuit zwenkten dreigende mitrailleurs langzaam heen en weer.

Als ze me ontdekken, schieten ze me tot moes, bedacht Dirk. Als ik nu onze eigen mitrailleur bij me had, zou ik me kunnen verdedigen. Meteen verwierp hij het onzinnige plan. Hij zou nog geen vijf schoten kunnen lossen voor ze hem te pakken kregen.

De snelboten gleden voorbij en verdwenen bij de Boven Hennip in de richting van de Reugt.

Dirk wachtte nog even, om zeker te zijn dat er niet een derde volgde. Toen alles rustig bleef, verliet hij de vaargeul en begon aan de oversteek. Even werd hij verrast door de sterke golfslag die de snelboten hadden veroorzaakt. Het bootje dreigde weg te draaien, maar met enige moeite hield hij hem op koers en bereikte de overkant.

Hoewel hij Jan en Piet nu helemaal kwijt was, maakte hij zich geen zorgen over hen. Hij had al zijn aandacht nodig voor de zoekactie. Hij bedacht hoe hij het beste te werk kon gaan.

Dirk probeerde zich voor te stellen hoe het was om uit een brandend vliegtuig te springen en hangend aan een parachute in een vijandig gebied neer te komen. Wat zou hij doen? Om te beginnen zou hij razendsnel zijn parachute kwijt willen. En dan? Proberen weg te komen naar het bevrijde Zuiden.

Als die piloten verstandig zijn, meende Dirk, dan zijn ze op zoek gegaan naar hulp. Ze zullen erop moeten gokken dat de boeren in de polders betrouwbaar zijn en dat die hen verder zullen helpen. Ja, dat zullen ze zeker hebben gedaan. Tenzij er gewonden bij zijn die zich niet kunnen verplaatsen. Zou hij aan land gaan en hier en daar eens informeren? Binnen een half uur kon het donker zijn. Het zou weinig nut hebben als hij dan in het wilde weg zou gaan zoeken.

Ja, hij moest maar aan land gaan. Hij dreef de kajak zo dicht mogelijk in de rietkraag en zette hem klem door de peddels diep in de weke bodem te steken. Hij klom op de dijk van Polder Donderzand en keek uit over het vlakke land. Veel uitzicht had hij niet, want er kwam mist opzetten, die als een witte, melkachtige deken boven de velden bleef hangen. In de verte staken de daken van een boerderij boven die deken uit.

Daarheen, besliste Dirk. Hij begon te lopen, tot aan zijn borst in de mistlaag die weg zweefde bij elke stap die hij deed. Hij voelde de kou optrekken in zijn benen en hij ging wat sneller lopen om warm te blijven. Erg lang zou dat niet lukken, want met het invallen van de duisternis zou het ook weer gaan vriezen. Als dat zo doorging, zou binnen een paar dagen het water in de smallere beken bevriezen. Het zou dan steeds moeilijker worden door de Biesbosch te trekken en als de winter echt doorzette, konden ze zelfs helemaal geïsoleerd raken. Maar dat was van later zorg.

Toen Dirk bij de boerderij kwam, baste er even een hond. Voor de rest bleef het stil. Dat was vreemd, vond Dirk. Hij bleef even aarzelend aan de rand van het erf staan. Zijn gevoel waarschuwde hem dat hij niet verder moest gaan.

Toen er na een tijdje nog niemand op het alarm van de hond had gereageerd, groeide zijn onrust. Er was iets niet in orde. Onwillekeurig keek hij in het rond, op zoek naar mogelijkheden om weg te duiken, een bosje of een heuvel. Maar hij stond in een kale wei en de enige bescherming die hij zag, was de stille, witte nevelzee.

Er klonk een kort, scherp geluid, dat hij meteen herkende: de klink van een deur werd naar beneden geduwd. Meteen hoorde hij een stem, direct gevolgd door een tweede. Het was Duits!

Dirk dook in elkaar, zodat hij opgeslokt werd door de nevel, en begon in gebukte houding te rennen zo hard hij kon. Zijn voet stootte ergens tegenaan; het bleek een zinken emmer te zijn die een enorme herrie maakte toen hij omviel en wegrolde.

Meteen vloog de deur verder open. Opgewonden Duitsers schreeuwden nu tegen elkaar en een ratelend salvo uit een machinepistool verscheurde de avondstilte. De kogelregen vloog links en veel te hoog aan hem voorbij.

Dirk maakte een bocht naar rechts; hij bleef rennen, hoewel hij voelde dat zijn koude kuiten pijnlijk verkrampten. Hij verbeet de pijn met opeengeklemde kaken en bleef in een bocht lopen, met de bedoeling achter de boerderij te komen. In het open veld had hij geen schijn van kans.

Er waren meer Duitsers naar buiten gekomen, die elkaar aanwijzingen toeschreeuwden. Ze hadden zich verspreid en begonnen het gebied rond de boerderij te doorzoeken. Staaflantaarns priemden in de schemering. Nu en dan schoot een van hen in het wilde weg in de nevel. Verspilde munitie, want Dirk was al verdwenen. Hijgend van het rennen in die onmogelijke houding, de steeds heviger wordende kramp in zijn kuiten verbijtend, liet hij zich vallen naast een bouwsel op palen. Het was een konijnenhok. Dirk kroop eronder en maakte zich zo klein mogelijk. Hij wachtte.

Aan de geluiden kon hij horen dat de Duitsers hun zoekactie verplaatsten naar de dijk. Het leek hen kennelijk logisch dat de vluchteling zou proberen over het water weg te komen.

Dirk dacht na over wat hij moest doen. Het kon nog wel een poosje duren voor hij zijn kajak weer kon opzoeken. Als hij nu zou vluchten, zou hij vragen om moeilijkheden. Er was maar één alternatief en dat was de boerderij. Daar waren ongetwijfeld nog meer Duitsers. Hij kon zich niet voorstellen dat ze allemaal naar buiten waren gegaan.

Dirk luisterde scherp. Zijn achtervolgers leken nu ver genoeg weg om even rond te kijken. Voorzichtig kwam hij weer onder het konijnenhok vandaan en richtte zich half op. Hij zag het donkere silhouet van de boerderij en op nog geen tien meter bij hem vandaan de opslagschuur, groot en massief. Hij rende erheen en drukte zich tegen de wand. Zijdelings verplaatste hij zich, voetje voor voetje, op zoek naar een deur of een raam, waardoor hij naar binnen kon glippen. Hij was daar amper mee begonnen, toen hij verstarde en ademloos bleef staan.

Vlak naast hem, bijna binnen handbereik, ging heel voorzichtig een deur open en een hese stem fluisterde: „Here! This way!" Engels. Dat was Engels!

Dirk aarzelde geen moment. Hij dook naar binnen, waarna de deur onmiddellijk weer werd gesloten. Het was daarbinnen stikdonker. Dirk zag geen hand voor ogen. Hij keek rond of hij zijn redder kon onderscheiden. Hij hoorde alleen wat geritsel en toen raakte iemand zijn been aan. Instinctief week Dirk terug.

„Don't be afraid! You are safe now," stelde de hese stem hem gerust. „The Krauts already have searched this barn. It's okay!"

Nou, da's fijn, dacht Dirk. Als de moffen de schuur al hadden doorzocht, hoefde hij zich inderdaad geen zorgen te maken. Hij hurkte neer. Zijn zoekende hand gleed over ruige legerstof en vond de hand van de ander. „How are you? You are English?" vroeg hij, terwijl hij bedacht wat een krankzinnige manier van kennismaken dit was.

„Yes, I'm captain Anderson."

„I am Dirk Kromvoort. I was looking for you."

„You are from the resistance?"

Dirk aarzelde even voor hij antwoord gaf. Was hij van het verzet? Nou ja, op een bepaalde manier in elk geval wel. „Yes."

„Lucky me!" grinnikte de captain ingehouden.

Juich maar niet te vroeg, makker, dacht Dirk. Hij vroeg waarom de vlieger op de grond lag en het antwoord verontrustte hem.

„I'm wounded! I think my leg is broken. I'm not sure. And my head hurts."

Wel ja, dacht Dirk, dat kan er nog wel bij. Buiten rennen de moffen rond en hij lag hier met een piloot met een gebroken been en een hersenschudding of zoiets. „I will take you away from here," beloofde hij optimistisch. „But we have to wait."

„I understand," zei captain Anderson.

Piet en Jan hadden de twee snelboten ook zien passeren in het Gat van de Noorderklip en daarna hadden ze, net als Dirk, de oversteek gewaagd. Toen ze uitkwamen in open water werd de situatie riskant, maar ze besloten het erop te wagen. Ze gokten op de nevel. Die lag, net als boven de polders, als een dik waas op het water. Bovendien schemerde het al behoorlijk en als ze werden aangehouden, konden ze zich tenslotte altijd nog voordoen als onschuldige vissers en erop hopen dat ze geloofd werden. Wonderlijk genoeg zagen ze niets dat op een Duits uniform leek. Het leek wel of de Duitsers nog niet zo ver waren gevorderd met hun zoekactie.

Terwijl ze langs de noordkant voeren van een paar eilandjes bij de Polder Ganzewei, wees Jan de Zoete ineens naar een rietkraag bij een kreekje aan de rechterkant. „Kijk nou eens!"

„Hé!" riep Piet van Dijk. „Dat is een stuk van een parachute."

„Dat hoef je mij niet te vertellen. Kom snel, voor anderen het ontdekken." De lap lag dicht bij het water, over de toppen van het riet. Haastig lieten ze de roeiboot vastlopen in de modderige bodem en gingen aan land. Hun voeten werden vastgezogen in de weke moerasbodem.

Jan was zo verstandig geweest een paar laarzen aan te trekken, maar Piet had dat niet nodig gevonden en verloor dan ook meteen een schoen. Mopperend en vloekend peuterde hij zijn schoeisel uit het brakke water. Nu had hij, behalve een paar natte voeten, ook kletsnatte armen.

Jan was intussen doorgelopen, stap voor stap zwoegend door de modder. Zo bereikte hij het wat hogere, aangeslibde land. Hij begon meteen aan de parachute te trekken, die verstrikt zat in de takken. En terwijl hij daarmee bezig was, schold hij Piet de huid vol omdat die hem niet vlug genoeg kwam helpen. Opeens hoorde hij een kalme stem achter zich die op vriendelijke toon vroeg: „Can I help you?"

Als door een adder gebeten draaide Jan zich om en keek in de loop van een groot pistool. Dat pistool werd vastgehouden door een jonge kerel in een uniform dat bepaald niet Duits was. Even was de Rotterdammer te verbouwereerd om iets te zeggen. Hij wees naar het pistool en schudde een paar maal met zijn hoofd om duidelijk te maken dat dat echt niet nodig was.

Op dat moment kwam Piet weer in zicht. Die was zo mogelijk nog meer verrast. Hij bleef staan, keek naar het tafereel van de twee mannen tegenover elkaar alsof hij zijn eigen ogen niet kon geloven, en begon te lachen. „Ben je gearresteerd, Jan?"

De Engelsman aarzelde; zijn blikken gingen tussen beide jongens heen en weer. Toen keek hij naar zijn pistool dat er plotseling een beetje misplaatst uitzag en hij liet het zakken.

„Good!" zei Piet in zijn beste Engels. „Very good. Wij zijn vrienden."

„Friends?" aarzelde de piloot.

„Wat dacht je? Natuurlijk are we friends," bevestigde Jan. „Man, wat heb je me laten schrikken."

„I beg your pardon?"

„Laat maar zitten," wuifde Piet weg. „Wij zijn op zoek naar je. Looking... eh... seeking, search, weet je wel!"

„Ah! Is that so?" riep de vlieger opgelucht.

„Ja, dat is zo," bevestigde Jan. „En als je ons nu helpt om deze parachute weg te stoppen, die hier als een uitnodigende vlag hangt te wapperen, dan hebben we misschien kans dat we veilig weg kunnen komen."

Daar verstond de man natuurlijk geen letter van, maar toen hij zag dat Piet en Jan aan de grote lap stof begonnen te trekken, borg hij zijn wapen op en hielp een handje mee. Even later lag de parachute in een haastig gemaakt gat, afgedekt met modder, takken en riet.

„Nu moeten we maken dat we hier wegkomen," zei Piet. Hij wenkte de Engelsman: „Come on."

„Where do we go?"

„Doe nou niet zo moeilijk, man!" vroeg Jan dringend. „Met ons mee, natuurlijk. Je bent vrij! Wij brengen je naar het Zuiden... we bring you naar your kameraden... comrades! Oké?"

„Freedom!" riep de vlieger.

„Ja hoor, freedom," zei Piet. „Kom nu maar."

Even later had de invallende duisternis hen opgeslokt.

Dirk en captain Anderson lagen in de schuur en wachtten. Buiten was het rumoer van de zoekende Duitsers allang verstomd. Even hadden de mannen in de schuur gedacht dat het met hen gedaan was, toen ze Duitse stemmen vlak bij de schuur hoorden, en een donkere schaduw voor een van de raampjes zagen. Ze konden echter verstaan dat een van de Duitsers riep dat de schuur al gecontroleerd was, en hoorden daarop het geluid van voetstappen wegsterven. Toch durfde Dirk geen risico te nemen. Om weg te komen, zou hij de gewonde captain op zijn schouders moeten nemen. Hij zou lopend de kajak moeten zien te bereiken en hij kon niet wegduiken om zich te verstoppen. Als ze betrapt werden, waren ze er gloeiend bij. Daarom wachtte Dirk af, in de hoop dat de Duitsers zouden vertrekken.

De Engelsman had het intussen niet makkelijk. Hij had verteld dat het gebroken scheenbeen hem bijna ondraaglijke pijn bezorgde en zijn hoofd duizelde. Dirk had hem aangeraden te gaan liggen en te rusten zolang dat mogelijk was. Er stond hun nog genoeg ellende te wachten als ze eenmaal op weg waren.

Nu en dan wisselden ze zacht een paar woorden met elkaar. Anderson vertelde dat hij uit Abingdon kwam, een klein plaatsje in de buurt van Oxford. Hij was onderwijzer van beroep. Zijn broer en zijn zwager waren ook in dienst; die hadden deelgenomen aan de invasie in Frankrijk. Waar ze op dit moment waren, wist hij niet. Hij hoopte dat ze nog in leven waren.

„Next week you will be home," verzekerde Dirk hem.

„If there is a next week," merkte Anderson sceptisch op.

„Trust me, everything will be allright," zei Dirk.

Langzaam verstreken de minuten, de uren. Het vroor en de kou drong door tot in de schuur. Dirk realiseerde zich dat ze in actie moesten komen, als ze niet helemaal wilden verstijven. Dat gold vooral voor captain Anderson. Hijzelf kon nog een beetje heen en weer lopen om warm te blijven.

Ten slotte besloot hij het erop te wagen. Hij opende de deur op een kier en keek in de werkelijk stikdonkere nacht. De nevel was gaan rijpen aan het gras en de struiken. Het was onwerkelijk stil buiten. De boerderij lag eenzaam en verlaten en Dirk vreesde het ergste voor de bewoners. Hij durfde er niet heen te gaan en aan te kloppen voor hulp. Stel je voor dat de Duitsers toch een paar mannetjes hadden achtergelaten, om onverwachte bezoekers op te vangen.

Dirk sloop voorzichtig om de schuur heen. Het gras knisperde onder zijn voeten, maar voor de rest bleef alles volmaakt stil. Hij ging weer naar binnen en zei tegen Anderson: „Let's go!"

Dat was makkelijker gezegd dan gedaan, want de vliegenier was door het lange liggen helemaal verstijfd. Toen Dirk zijn armen onder zijn hals en knieën schoof en probeerde hem op te tillen, gaf de Engelsman een onderdrukte kreet van pijn. Hij siste Dirk toe: „Go ahead! Don't worry about me!"

„Big boy!" prees Dirk. Hij ging zo voorzichtig mogelijk te werk, maar kon niet voorkomen dat de gewonde rilde van de pijn toen hij hem over zijn schouder legde. Langzaam zette Dirk zich in beweging. Hij verliet de schuur en begon in de richting te lopen van de plek waar hij de kajak had achtergelaten. Het was een hele tocht. Anderson leek met elke stap zwaarder te worden, tot Dirk het gevoel had dat hij ongeveer duizend kilo sjouwde. Maar hij bereikte zijn doel.

Het installeren van de gewonde in de kajak leverde weer wat onderdrukt gekreun op, maar daar kon Dirk nu geen aandacht aan besteden. Ze moesten zien dat ze zo snel mogelijk thuiskwamen. Even dacht Dirk eraan om de afspraak met Jan en Piet bij de Grote Muggenwaard maar te vergeten. Als hij meteen omkeerde en dezelfde weg terugnam waarlangs hij was gekomen, scheelde dat een uur, zo niet meer. Aan de andere kant zou het niet meevallen in het pikkedonker op koers te blijven in de kreken die hij moest passeren. Bovendien was het verstandiger zich aan de afspraken te houden.

Terwijl hij de kajak in het open water probeerde te duwen, merkte hij dat het tij vrij laag was. Hij moest flink werken om van de zuigende bodem los te komen. Hoe laat zou het zijn? Op zijn eigen horloge kon hij in het donker niets zien. „Do you have a watch?" vroeg hij aan de captain.

„Yes," antwoordde die. Hij strekte zijn arm vooruit. Aan zijn pols lichtte een ongewoon grote wijzerplaat op.

Bijna half drie, zag Dirk. Dat werd aanpoten. Als Jan en Piet ongeduldig werden, konden ze wel eens weg zijn.

Op het moment dat Dirk bij de Grote Muggenwaard aankwam, waren zijn vrienden er inderdaad niet.

Ze zijn al weg, constateerde Dirk, nadat hij een paar maal zijn peddel met kracht op het water had laten kletsen om zijn aanwezigheid kenbaar te maken.

„What's up?" vroeg de captain.

„Nothing," zei Dirk geruststellend. „We go home, now."

„That's good. I'm freezing, you know!"

Dat kan ik me voorstellen, dacht Dirk. Hoewel het zweet langs zijn rug liep van het ingespannen peddelen, waren zijn voeten steenkoud. De captain zat haast onbeweeglijk half rechtop. Hij moest langzamerhand het gevoel hebben dat hij in een ijspegel veranderd was.

Dirk besloot terug toch niet de route van Jan en Piet te volgen. Misschien hadden Jan en Piet inmiddels zíjn route genomen en kon hij ze onderweg inhalen. Het was onwezenlijk stil. Plotseling brak het licht van de maan door het steeds ijler wordende wolkendek. De aangevroren mist op het gewas langs de oevers lichtte op, wit en glinsterend, als een sprookjestuin. Het was schitterend om te zien, maar Dirk was er niet blij mee. „Maan, hoepel op!" wenste hij.

„What did you say?" vroeg captain Anderson.

„Dat het Sinterklaas wordt," was het geïrriteerde antwoord. Dirk maakte zich ongerust. Als de maan zo helder bleef schijnen, was hij een prachtig doelwit voor elke schutter die zich op de oever bevond.

Gelukkig. Wolkenflarden hulden de maan weer in een waas en Dirk haalde opgelucht adem. Ineens lag recht voor hem uit de plek waar tot voor kort nog de verborgen schuilplaats van de krijgsgevangenschepen was geweest.

Wat zou hij doen? Langs de Boven Hennip varen en dan via het Gat van de Zuiderklip direct naar Drimmelen? Of direct naar huis, naar de woonboot? In het laatste geval moest de captain langer wachten op behandeling van zijn verwondingen, maar het was wel een stuk veiliger. „How do you feel, sir?" vroeg hij aan Anderson.

„Not so good," was het zwakke antwoord. „Are we close?"

„Not yet," zei Dirk en meteen daarna vloekte hij hardop. Vanaf de Vijf Ambachten schoten plotseling twee, drie lichtkogels de lucht in. Sissend vlogen ze naar hun hoogste punt, bleven even hangen, daalden toen en spatten open in een alles beschijnend licht.

„Down! Lie down, sir! Quick!"

Captain Anderson schoof onderuit en maakte zich zo plat mogelijk op de bodem van de kajak.

Dirk joeg de peddels door het water; hij wilde de dichte begroeiing langs de oever bereiken voor ze ontdekt werden, maar het was al te laat. Rettetettet!... De mitrailleurkogels floten hem om de oren, kaatsten over het water als speelse kiezelsteentjes. Tot overmaat van ramp werden ze nu ook van de andere kant, vanaf het Ganzenest, onder vuur genomen.

Slechter kan haast niet, dacht Dirk in een flits. Als ik rechtdoor ga, zijn we er geweest. Hij bleef zonder ophouden peddelen, hij zwoegde en vocht tegen de pijn in zijn armen, die hij niet wilde voelen, niet mocht voelen. Ze moesten hier weg, en gauw!

Even hield het vuren op en in die onverwachte stilte drong plotseling het onwezenlijke plofgeluid van een motorboot tot

Dirk door. Het was een bekend geluid en Dirk kon zijn oren niet geloven. Van louter verbazing liet hij de peddels even rusten en keek in de richting waar het geluid vandaan kwam. En hij zag, in het helle licht van de lichtkogels, een kleine motorboot verschijnen, midden op de stroom. Op het dak van de kleine kajuit zat een man geknield achter een mitrailleur.

Het was Breker Ben, die daar zo roekeloos en volkomen onbeschermd naderde en de confrontatie met de Duitsers aanging.

Dirk wilde schreeuwen, roepen dat hij terug moest gaan, dat hij geen schijn van kans had, maar hij kon geen klank uitbrengen.

Het motorbootje pufte voort. Kennelijk met vastgezet roer voer het recht op de wachtposten af. Breker Ben passeerde op een paar meter afstand. Hij keek naar Dirk. Die zag hem grijnzen, zorgeloos, bijna vrolijk. Hij zag hoe hij een gebaar maakte van 'wegwezen!' en het volgende moment zijn aandacht weer richtte op de mitrailleur.

Vanaf de oever klonk het eerste salvo.

Ben richtte onmiddellijk naar het punt waar de schoten vandaan kwamen en zijn wapen spuwde vuur.

Toen werd hij gevangen in een regen van kogels en ontzet zag Dirk hoe het lichaam van Ben heen en weer schokte, alsof ertegen gestompt werd. Hij zag Ben over de mitrailleur zakken, terwijl zijn vinger aan de trekker bleef. Maar hij had niet meer de kracht te richten; zijn schoten vlogen naar alle kanten.

Weer was er een genadeloze vuurstoot vanaf de oever, van twee, drie plaatsen tegelijk.

„O, Ben!" kreunde Dirk. „Idioot die je bent!" Hij zag zijn vriend van de mitrailleur glijden; hij viel achteruit van de kajuit en verdween zo in de boot. En die boot tufte door alsof er niets aan de hand was, in een rechte lijn naar de oever aan de overkant, waar hij vastliep in het riet. Het licht van de lichtkogels doofde en hulde het vreselijke tafereel in de duisternis.

Dirk zat als verdoofd. Hij kon het niet bevatten. Daar, op tientallen meters van hem vandaan was Breker Ben, die zichzelf had opgeofferd voor hém. Hij heeft zich laten doodschieten voor mij, wist Dirk en plotseling kon hij zijn tranen niet meer bedwingen. Hij huilde zacht, met schokkende schouders. Tot hij een hand op zijn arm voelde.

„He was your friend?" vroeg captain Anderson zacht.

Dirk kon niet antwoorden. Hij kon alleen maar heftig knikken. Meteen ging het door hem heen dat het offer van Breker Ben niet voor niets mocht zijn. Hij had hen willen helpen, willen redden. De poging, die hem het leven had gekost, moest in elk geval slagen.

Dirk vermande zich; hij klemde zijn kaken op elkaar. Hij greep de peddels en terwijl de tranen over zijn wangen bleven stromen, maakte hij vaart. De kajak verdween uit het zicht voor de volgende lichtkogels de lucht in gingen.

De volgende morgen troffen een paar mensen van het crossersteam het motorbootje van Klaas Kromvoort aan. Het lag afgemeerd aan de zuidelijke oever van het Gat van de Noorderklip, een paar honderd meter van de plek waar Breker Ben zo dramatisch aan zijn eind kwam. De mitrailleur was weg, maar het lichaam van Breker Ben lag uitgestrekt op een brede plank onder een smetteloos laken. Dit moest wel haast het werk van de Duitsers zijn. Die lieten zich niet zien toen de crossers het laken vervingen door de Nederlandse driekleur en ook niet toen het bootje werd weggesleept naar de Mand, begeleid door een tiental kano's, kajaks en roeiboten.

Dirk en zijn vrienden waren ook gewaarschuwd en ze sloten zich met hun roeiboot aan bij de kleine, maar indrukwekkende vloot. Bij hen waren de twee Engelse vliegers, vermomd met oude jassen en petten. Op die manier konden ze gelijktijdig in veiligheid gebracht worden, zonder dat de Duitse wachtposten een vinger uitstaken om hen tegen te houden. Het was een onwerkelijke situatie, het idee dat de Duitsers op de oevers waarschijnlijk toekeken hoe de verzetsmensen hun gesneuvelde vriend naar bevrijd gebied brachten.

Breker Ben werd overgebracht naar de kerk aan het einde van de Herengracht in Drimmelen. Daar werd hij opgebaard.

Dirk had met enige tegenzin de persoonlijke eigendommen van de Amsterdammer doorzocht en was zo eindelijk achter zijn ware naam gekomen. Hij heette voluit Bernhard Johan Hoitinga. Hij was getrouwd en vader van twee kinderen. Dirk nam zich voor om het gezin persoonlijk te bezoeken om te vertellen wat er met hun man en vader gebeurd was. Dat was wel het minste wat hij kon doen.

Captain Anderson werd naar het hospitaal in Breda vervoerd. De andere Engelsman meldde zich bij zijn superieuren en keerde de volgende dag al terug naar Engeland.

De volgende morgen werd Ben Hoitinga met militaire eer begraven op het kleine kerkhof achter de kerk van Drimmelen. Er klonken saluutschoten van leden van de Ordedienst en van de Binnenlandse Strijdkrachten in hun blauwe overalls met de oranje band om de arm.

10

Dirk Kromvoort kreeg die ochtend geen tijd om lang stil te staan bij de dood van Breker Ben, omdat hij hoorde dat de koerier Kok terug was uit Eindhoven. Hij was van plan de komende nacht over te steken naar het Noorden.

Rond twaalf uur ontmoette Dirk Kok, net als de eerste keer, in de grote achterkamer van het smalle huis aan de dijk. De koerier begroette Dirk met een flauwe glimlach om de dunne lippen, terwijl zijn fletse, blauwe ogen uitdrukkingsloos bleven.

„Hoe gaat u oversteken, Kok?" vroeg Dirk zonder verdere inleiding, terwijl hij bij hem aan de tafel ging zitten.

De koerier haalde haast onmerkbaar zijn schouders op: „Zoals ik ben gekomen. Vannacht over naar Werkendam, dan als gewoon burger naar Gorinchem en verder met de trein, tenminste als die niet al te vol zit met Duitsers. We zullen het moeten afwachten."

„Ik heb misschien een beter idee," zei Dirk. „Wat zou u ervan zeggen met de motor te gaan?"

„Een motor? Heb jij die dan?"

„Nee, maar ik weet wel hoe ik eraan moet komen. Niet ver hier vandaan woont een boer, Joris Tiemissen. Een goede kennis van me en... eh... die heeft een Duitse legermotor in zijn berghok staan."

„Dat is heel mooi!" zei de koerier verrast. „En zou je die kunnen krijgen, denk je?"

„Dat denk ik wel. In elk geval is het te proberen. Met een motor kunnen we gaan en staan waar we willen. We kunnen ook niet zo makkelijk verrast worden als wanneer we met de trein reizen."

„Dat is waar," knikte Kok. „Maar we kunnen niet als gewone burgers op een Duitse motor gaan zitten."

„Dat hoeft ook niet," verzekerde Dirk. „We hebben genoeg legermateriaal van de moffen om ons te vermommen, bijvoorbeeld als koeriers! We zijn toch koeriers, tenminste u!"

„Klinkt goed. En de papieren? Dan moet ik andere papieren hebben. Jij trouwens ook. Anders zijn we bij de eerste de beste controle al de klos."

„Dat kan geregeld worden," zei Dirk. „Spreekt u Duits?"

Kok wierp hem een haast beledigde blik toe. „Ik klets een aardig eindje weg."

„Dan kan ons niets meer gebeuren!"

„Dat zou ik niet te hard roepen als ik jou was," bromde Kok.

De rest van de dag waren ze druk in de weer om de overtocht voor te bereiden. Via de commandant van de BS in Made en het voorlopig bureau van de contra-spionagedienst in Breda kregen ze hun papieren. Daarop stond te lezen dat Dirk Kromvoort nu Kurt Feinglass, Obergefreiter was. Kok heette nu Wilhelm von der Schwinken en hij was tot Feldwebel gebombardeerd. In een opslagdepot in Drimmelen vonden ze de bijpassende uniformen, compleet met glimmend-groene, zeildoeken jassen, die om de benen met drukkers konden worden vastgemaakt, stevige laarzen en helmen. En natuurlijk tassen, die met een riem over de schouder gedragen moesten worden. Ze waren tenslotte koeriers. Ze hadden een gefingeerde opdracht voor de Ortskommandant in Zwolle. Het had evengoed Leeuwarden kunnen zijn, maar Zwolle was ver genoeg, vond Kok. Ook de machinepistolen ontbraken niet.

Toen moest er nog afgesproken worden hoe laat en van welk punt ze zouden vertrekken.

„Als we met de crossers gaan, komen we in Werkendam," merkte Dirk op. „Het zal dan voor twee volledig uitgeruste koeriers niet meevallen om ongemerkt bij de Polder de Oude Kat te komen."

„Wat wil je dan?" vroeg Kok.

„Mijn vrienden en ik hebben een eigen vaarroute, die voor deze gelegenheid zeker net zo veilig is. Ik weet hoe we recht tegenover de Oude Kat bij de Nieuwe Merwede kunnen komen. Het is bovendien korter. Als we niet te laat vertrekken, kunnen we al een heel eind op weg zijn voor het dag wordt."

„Akkoord. Hoe en waar treffen we elkaar?"

„Is het voor u een probleem om naar Lage Zwaluwe te gaan?"

„Dat is geen punt."

„Prima. Daar zit namelijk een goede kennis van me, bakenmeester Van den Meerendonk. Die wil u wel overzetten naar de Visplaat. Daar woont een andere bekende, Martien van Lent."

„Ik ken Martien," knikte Kok.

„Goed. Rond middernacht pik ik u daar op."

„Afgesproken."

Laat in de middag keerde Dirk naar de woonboot terug, waar Piet en Jan op hem zaten te wachten.

„Het is zover!" zei Dirk, bijna uitgelaten. „Vanavond vertrek ik. Gelukkig ga ik weer wat doen. Als ik hier had moeten blijven, was ik gek geworden."

„Wat dacht je van ons?" vroeg Jan droog.

„Hij denkt niet aan ons," meende Piet op scherpere toon. „Meneer gaat op jacht naar zijn grote tegenspeler. Meneer gaat zijn geliefde redden uit de klauwen van het monster."

„Ik hoop dat jullie het kunnen begrijpen," zei de Vos van de Biesbosch. „Ik laat jullie niet in de steek. Dachten jullie dat ik het leuk vind om jullie hier achter te laten?"

„Nee, maar Piet en ik maken ons zorgen. We zijn bang dat je gepakt wordt en dat we je dan ook nooit meer zullen terugzien, net als Ben!"

Dirk antwoordde niet meteen. Het deed hem wel wat dat zijn vrienden zich zorgen maakten over hem. Wat moest hij zeggen? Hij wist best dat met zijn vertrek de verzetsgroep van de Vos zo goed als uit elkaar viel. Hij kon Jan en Piet niet vragen om op de woonboot te blijven. Misschien kon Piet maar het beste gewoon naar huis gaan, naar zijn ouders in Bergen op Zoom. En Jan? Hij kon met Piet meegaan, of bij Dirks vader en moeder onderdak vinden in het huis van Lucas van den Meerendonk.

Denkende aan die suggestie keek hij zijn vrienden aan. Toch hield hij zijn mond. Op tijd realiseerde hij zich dat hij probeerde hun zaakjes te regelen. Ze moesten zelf maar beslissen.

„Hebben jullie al plannen gemaakt?" vroeg hij daarom.

„Ben je daar benieuwd naar?" zei Piet op spottende toon.

„Doe niet zo kinderachtig. Natuurlijk!"

„Wij gaan ons melden als oorlogsvrijwilliger," zei Jan kalm.

„Wát? Jullie zijn niet goed snik," reageerde Dirk nogal bot.

„Wat verwacht je anders. We zitten hier toch ook om tegen de Duitsers te vechten? Dan kun je dat ook in een gewoon leger." Piet keek Dirk een beetje verontwaardigd aan.

„Nou, als jullie dat per se willen, ga je je gang maar. Mijn zegen heb je. Jullie gaan dus in dienst. Als ik niet weg moest, dan ging ik misschien met jullie mee. Of nee, dan ging ik zeker met jullie mee. Best mogelijk dat ik het later ook doe, als hier alles voorbij is."

„Wij zullen elkaar in ieder geval opzoeken, later," beloofde Piet, plotseling ernstig.

„Daar reken ik op," zei de Vos.

Dirk nam niets mee dat kon verraden wie hij werkelijk was. Zijn persoonsbewijs gaf hij aan Piet van Dijk. „Je weet wat je ermee doen moet, als..."

„Ik weet het," knikte Piet.

Dirk trok zijn jekker aan, deed een sjaal om zijn nek en trok een wollen muts over zijn oren. Het was buiten weer knap koud. Er zat sneeuw in de lucht, de eerste sneeuw van het seizoen.

Met z'n drieën gingen ze aan dek. Daar stonden ze nog even besluiteloos bij elkaar.

„Je moet gaan," zei Jan. „Het is tijd."

Zonder te antwoorden gaf Dirk hem een hand. Daarna keek Dirk Piet aan.

„Kijk uit je doppen!" zei die.

„Dat beloof ik," knikte Dirk ernstig.

„Doe je de groeten aan Judith?" vroeg Jan. Hij wilde er nog aan toevoegen: Als je haar tenminste vindt, maar die woorden slikte hij in.

„Ik zal vertellen dat jullie nog steeds dezelfde lummels zijn," beloofde Dirk.

„Vast wel!" zei Piet. „Ga nou maar."

Dirk stapte in de roeiboot. Terwijl hij daar stond, keek hij nog een keer omhoog naar zijn vrienden, die amper te onderscheiden waren tegen de achtergrond van de grauwe, donkere lucht. Hij stak zijn hand op en ging zitten. Langzaam, met zacht plassende slagen van de riemen roeide hij weg. Bij de bocht in de kreek keek hij nog eenmaal om. De woonboot was een donker silhouet op het zacht kabbelende water. Jan en Piet waren al naar binnen gegaan.

Tijdens de tocht naar de Visplaat voelde Dirk zich vreemd. Hij had het gevoel dat hij alle schepen achter zich verbrand had. De Vos had zijn hol verlaten. Hij was weliswaar vast van plan terug te keren, maar toch kon hij de gedachte niet kwijtraken dat de Vos van de Biesbosch niet meer bestond. Het hol was bijna leeg. De bewoners gingen nu ieder hun eigen weg en het was nog maar de vraag of, wanneer en onder welke omstandigheden ze elkaar weer zouden ontmoeten.

Met moeite concentreerde hij zich op het doel van de reis die voor hem lag. Een gevaarlijke reis, dat zeker, maar aan het einde daarvan zou hij, als alles goed ging, weer bij Judith zijn. De gedachte aan haar bezorgde hem een warm gevoel van binnen. Hij verlangde naar haar tengere, maar toch kracht uitstralende gestalte, naar haar lieve gezicht, haar grote, donkere ogen, haar lange, volle haar. „Ons geluk ligt in de toekomst," had ze ooit tegen hem gezegd. Nou, Judith, dacht Dirk, ik ben op weg naar jou om een begin aan die toekomst te maken. In elk geval ben ik van plan te voorkomen dat een zekere Zwarte

Meester op het laatste moment nog roet in het eten gooit.

Toen hij bij de Visplaat kwam, bedacht hij dat hij de hele tocht had afgelegd zonder ergens op te letten. „Het geluk is met de dommen," mompelde hij. Hij voer de nauwe, goed verborgen kreek tussen het griendhout in, die naar de eendenkooi van Van Lent leidde. Hij zocht in het donker een plaatsje voor zijn boot en merkte toen pas dat er al twee grote roeiboten lagen. Dat verbaasde hem een beetje. Voor zover hij wist had Martien maar één roeiboot en een kleine kotter, en die lagen meestal aan het steigertje bij het huis aan de westkant. Toen begreep Dirk het. 'Het is altijd handig als je de kans hebt om via de achterdeur weg te komen,' had de kooiker nog niet zo lang geleden tegen hem gezegd. Dit was ongetwijfeld de achterdeur die hij had bedoeld.

Over de smalle griendkade liep hij naar het huis op de terp. Hij liep eromheen en tikte driemaal duidelijk op het raam van de huiskamer. Direct daarna ging de achterdeur open.

„Kom gauw binnen," nodigde Martien van Lent hem uit. „Je reisgezel zit al op je te wachten."

„Is Kok er al?" vroeg Dirk, terwijl hij de keuken in liep. „Mooi."

„Ja, Kok. Is dat inderdaad zijn naam?" Van Lent bleef staan.

„Weet je dat dan niet? Jullie kennen elkaar toch?"

„Ik heb de goede man nog nooit gezien."

„Dat is vreemd," zei Dirk en onbewust liet hij zijn stem dalen. „Hij kent jou wel. Tenminste, dat zei hij tegen mij. Hij kende zelfs je voornaam."

Van Lent aarzelde, wreef langs zijn voorhoofd alsof hij zijn geheugen wilde opfrissen. „Nou ja," zei hij toen. „Hij zal wel eens van me hebben gehoord."

Ze gingen de kamer binnen, waar Kok bij vrouw Van Lent zat, achter een kop koffie.

„Hallo!" zei hij, voor zijn doen nogal uitbundig en wees op het kopje voor hem op tafel. „Dit is echte."

„Dag, vrouw Van Lent," groette Dirk.

„Ga zitten, dan schenk ik voor jou ook in," zei vrouw Van Lent.

„Vooruit dan," zei Dirk. „Vijf minuten kunnen er wel af."

„Zeg, Kok," vroeg Martien onverwacht, „Volgens Dirk ken jij mij. Waarvan dan? Hebben wij elkaar ooit eerder ontmoet?"

Was het verbeelding of zag Dirk de koerier echt even verstijven?

In elk geval antwoordde Kok kalm: „Ik ken je naam, zoals iedereen in de omgeving. Ik heb niet gezegd dat ik je al eens heb ontmoet."

„Dat is zo," bevestigde Dirk.

„Wat is er aan de hand?" Kok keek van de een naar de ander. „Vertrouwen jullie me niet? Als dat zo is, gaat de reis niet door. Dan vertrek ik onmiddellijk en alleen!"

„Natuurlijk vertrouwen we je wel," zei Van Lent rustig. „Maar een beetje extra voorzichtigheid kan nooit kwaad. Dat zul je toch met me eens zijn."

Kok leunde achterover. „We stellen het vertrek vierentwintig uur uit. In die tijd kunnen jullie navraag doen naar mijn verleden."

„Misschien nog niet zo'n slecht idee," vond Martien.

„Geen sprake van," verwierp Dirk. „Wat een onzin. Alleen omdat Kok heeft gezegd dat hij je kent. Als we elk woord dat gesproken wordt op een weegschaaltje gaan leggen, kunnen we de hele ondergrondse wel opheffen."

„Ik ga niet vóór Van Lent ermee akkoord is," hield Kok koppig vol.

„Het is goed," knikte die nu. „Ik vertrouw je wel."

Daar bleef het bij. Even later namen de reizigers afscheid van het gastvrije echtpaar. Dirk nam de plunjezak met hun vermomming op zijn schouder en ging zijn metgezel voor naar de roeiboot. Door een kier in de raamverduistering keek Martien van Lent hen na tot de duisternis hen had opgeslokt. Toen schoot hij in zijn klompen en liep naar de achterdeur.

„Wat ga je doen, Martien?" vroeg zijn vrouw.

„Niets bijzonders," was het droge antwoord. Hij liep naar buiten en ging naar de berging. Daar sloot hij zorgvuldig de deur achter zich. Onder de werkbank haalde hij een langwerpige kist vandaan. Hij opende het deksel en schakelde de radiozender in.

Toen hij vijf minuten later terugkwam, stond zijn gezicht ontspannen. Hij zag de vragende blik in de ogen van zijn vrouw en knikte: „Kok is volkomen zuiver. Heeft al heel wat klusjes met gevaar voor eigen leven opgeknapt."

„Je hebt je dus vergist."

„Ik heb me niet vergist," was het antwoord. „Ik heb alleen heel even getwijfeld."

Het sneeuwde. Uit het laaghangende, grauwe wolkendek daalden minuscule vlokjes neer op de Biesbosch.

Dirk wist niet of hij er blij mee moest zijn. De oevers die langzaam wit werden, maakten het makkelijk om koers te houden. De stromen lagen nu duidelijk afgetekend in het landschap. Hij hoefde niet lang te zoeken naar de ingang van een kreek. Daardoor konden ze goed opschieten. Tegelijk werd echter het risico van ontdekking groter. De Duitsers zouden zeker gebruik maken van deze uitgelezen kans om zonder al te veel moeite te patrouilleren. Dirk besloot dan ook de westelijke route aan te houden, ver van het gebied waar de Duitsers het meest actief waren.

Kok was geen lui achteroverleunende passagier. Hij stond erop mee te roeien, al ging hem dat niet al te best af. Nu en dan wisselden ze een paar woorden met elkaar, maar geen van beiden had veel behoefte aan een gesprek. Ze wisten waar ze heen gingen en wat hun mogelijk te wachten stond. Daar hoefden ze niet veel over te praten.

Het bleef sneeuwen. De sneeuw zette zich vast op hun haar, hun schouders en armen, maakte hun wenkbrauwen wit en verkilde hun wangen. Dirk was blij toen ze eindelijk, na twee uur varen, de hoge, donkere Bandijk zagen. „Nu komt er werk aan de winkel," zei hij tegen Kok, terwijl hij de riemen liet rusten.

„Hoe bedoel je?"

„Er is hier geen doorgang naar de Merwede. Er is er wel een tussen de Boven en Beneden Spieringpolders, maar dat is mij te link. Het wemelt daar aan de overkant van de wachtposten. Trouwens, aan deze kant staat er ook een."

„Dus?"

„Dus zullen we de roeiboot over de dijk moeten slepen."

„Dat lukt nooit," zei Kok.

„Het zal wel moeten," zei Dirk. „Of wilt u liever zwemmen?"

Nee, daar voelde Kok helemaal niets voor. „Is er geen andere mogelijkheid?" vroeg hij.

„Misschien," peinsde Dirk. „We kunnen eerst eens poolshoogte nemen aan de andere kant. Mogelijk hebben we geluk en ligt er een boot, die we zolang kunnen 'lenen'."

„Laten we dat maar proberen," zei Kok gauw.

Ze verstopten de roeiboot in een kleine kromming, die dicht begroeid was met riet. Met de plunjezak klommen ze tegen de dijk op en keken de weg af die zich als een wit lint in de nacht aftekende.

Dirk zag wielsporen in de verse sneeuw. Er was dus kort tevoren een auto gepasseerd. Dat kon betekenen dat ze voorlopig niet bang hoefden te zijn voor een nieuwe patrouille. Nog een laatste speurende blik, toen veerde hij overeind. „We gaan!"

Ze klommen het laatste stukje tegen de dijk op en begonnen te rennen. Ze waren nog maar nauwelijks midden op de weg toen er plotseling van links twee vaag schijnende koplampen naderden. De lampen waren afgeschermd, zodat er maar een dunne bundel licht vlak voor de auto, die tamelijk snel naderde, op de weg scheen. Dat was hun redding. Met de grote plunjezak tussen hen in vlogen ze naar de overkant.

„Los!" riep Dirk, met de bedoeling dat Kok de zak van het talud zou laten rollen.

Kok begreep hem verkeerd, liet de zak voor wat hij was en dook de dijk af. Een fractie van een seconde stond Dirk besluiteloos. Toen sprong hij naar beneden.

Met kloppend hart hoorden ze de auto naderen. De plunjezak lag groot en uitdagend langs de kant van de weg... maar de auto reed voorbij zonder snelheid te minderen.

„Dat was stom geluk," zei Dirk.

„Het spijt me," zei Kok oprecht.

„Laat maar zitten. Nu vlug die zak pakken en weg hier!"

Een half uur later liepen ze over het buitendijkse land dat aan de Achterste Kievitswaard grensde. De grond was drassig en glad door de pas gevallen sneeuw. Er waren kleine perceeltjes uitgezet, waarop in het zomerseizoen getuinierd werd. Nu lagen ze er kaal en leeg bij, met slechts hier en daar wat boerenkoolstruiken.

Tussen de tuinen waren greppels gegraven en daar richtte Dirk al zijn hoop op. Ze hadden geluk en vonden een kleine vlet, die met de platte bodem naar boven op de kant was gelegd, in afwachting van het voorjaar. Veel bijzonders was het niet. Het was meer een ondiepe kist met schuin oplopende wanden dan een boot. Maar het dreef in elk geval en ze konden er samen in, zij het met moeite. Er was ook maar één peddel, gemaakt van een dikke stok waaraan een stuk plank was gespijkerd.

„We zullen het ermee moeten doen," zei Dirk berustend.

In zo'n wankel bootje de Nieuwe Merwede oversteken was een gevaarlijke onderneming. Algauw bleek dat het vletje bijna niet vooruit te branden was. Dirk zwoegde wat hij kon met de lompe, onhandelbare peddel, maar kon niet voorkomen dat ze halverwege de Merwede een speelbal van de sterke stroming werden. De drijvende kist draaide met elke kolk mee en schommelde soms gevaarlijk. De stroming nam de onbestuurbare vlet mee. Dirk moest al zijn krachten gebruiken om te voorkomen dat ze in het zicht van de Duitse wachtposten kwamen. Ten slotte kon hij niets anders doen dan het onhandige vaartuig vast laten lopen op een zandbank, vlak onder de oever.

„Wat nu?" vroeg Kok.

„Uitstappen en pootjebaden," was het antwoord. „En we moeten opschieten, want dit pleziertochtje heeft ons zeker een uur gekost."

Het werd bepaald geen pootjebaden. Ze moesten tot hun middel door het ijskoude water waden om de buitendijkse landstrook te bereiken, waarover ze in de richting van de Oude Kat liepen.

Ze waren nu allebei tot op het bot verkleumd. Het sneeuwde niet meer, maar de temperatuur was sterk gedaald. Het vroor en voor ze tien minuten op weg waren, kraakten hun broekspijpen alsof ze van glas waren. De zware plunjezak droegen ze om de beurt.

De kalme, onverstoorbare Kok klaagde niet. Zijn wat schrale, onopvallende uiterlijk bleek bedrieglijk. Hij was taai. Zijn manier van lopen was soepel en lichtvoetig en Dirk had nu en dan zelfs moeite hem bij te benen. Nee, de koerier zou geen blok aan zijn been zijn, integendeel, constateerde Dirk met voldoening.

Bij de Oude Kat gekomen, klommen ze de dijk op en gingen verder door de weilanden. Ze kwamen geen sterveling tegen. Zo bereikten ze de boerderij van Joris Tiemissen. Een kleine, loslopende hond kondigde hun komst aan. Voor Dirk kon aankloppen bij de achterdeur, ging die op een kier open.

„Is daar iemand?" vroeg de stem van Tiemissen.

„Dirk Kromvoort," antwoordde de Vos.

Meteen ging de deur verder open om hen binnen te laten in de donkere woonkeuken. Achter hun rug deed Tiemissen de deur op de grendel.

„Blijf even staan, voor je overal tegenop botst, dan maak ik licht," zei Joris.

Ze hoorden hem scharrelen en toen het gelige licht van een petroleumlamp de ruimte flauw verlichtte, zagen ze dat de boer een groot jachtgeweer achter de servieskast schoof. Hij glimlachte flauwtjes toen hij hun blikken zag.

„Dat is om de vossen bij mijn kippen weg te houden," legde hij uit, niet zonder humor. En met een knipoog naar Dirk: „Andere vossen, wel te verstaan, en ander gespuis. Ga zitten en vertel me waarom jullie hier zijn."

Dirk vertelde wie Kok was. Zonder al te zeer uit te weiden ontvouwde hij hun plannen.

„Dat is niet kinderachtig," stelde Joris vast. „Hoe willen jullie in de Achterhoek komen?"

„Kun je dat niet raden?" vroeg Dirk. „Jij kunt ons daarbij helpen."

Tiemissen keek hem aan en knikte toen langzaam. Hij had niet veel tijd nodig om te begrijpen wat Dirk wilde. Zijn ogen gingen naar de plunjezak op de grond. „Je hebt alles al geregeld, neem ik aan?"

„We zijn helemaal voorbereid." Deze keer gaf Kok antwoord en zijn stem klonk enigszins ongeduldig.

Tiemissen keek daarvan op, zijn wenkbrauwen gingen vragend omhoog.

Kok trok zich daar niets van aan. Tenslotte was hij de koerier met een belangrijke opdracht. Het gezelschap van Dirk was hem min of meer opgedrongen. Dat vond hij niet zo erg, zolang hij er geen last van had, maar die knul moest niet proberen het heft in handen te nemen. „Het is belangrijk dat we vandaag nog op de plaats aankomen waar ik mijn eerste afspraak heb," legde hij uit, met de nadruk op 'ik'. „In elk geval wil ik een flink eind op weg zijn voor het dag wordt."

De boer zweeg even ongemakkelijk. Hij keek naar Dirk, die onmerkbaar knikte.

„Mogen we de motor hebben, Joris?" vroeg hij.

„Allicht." Tiemissen stond op. „Terwijl jullie je omkleden, zal ik hem te voorschijn halen. Sinds je laatste avontuur heb ik er wat rommel over gegooid." Hij liet de reizigers alleen.

Ze waren blij dat ze hun natte, bevroren kleren konden uittrekken. De ruwe stof van de Duitse legerkleding voelde behaaglijk. Het was een plezier de dikke sokken en de degelijke laarzen aan hun voeten te voelen. Toen ze klaar waren, stonden er twee onvervalste Duitse ordonnansen op de rode tegelvloer.

Joris kwam binnen en knikte goedkeurend. „Als jullie zo aan de deur waren gekomen, had ik misschien mijn jachtgeweer gebruikt," zei hij. „Hebben jullie nog tijd voor een kop koffie en wat te eten? Het wordt een lange rit."

„Bedankt, maar liever niet," meende Kok.

„Er staat nog wat soep van gisteravond op het fornuis..."

„Dan graag," voorkwam Dirk een tweede weigering. Hij kon wel wat warms gebruiken.

Kok berustte met tegenzin.

Tien minuten later gingen ze naar buiten, waar de motor op zijn standaard stond te wachten.

„Hij is weer helemaal in orde en de tank is vol," zei Joris.

„Je bent onbetaalbaar," prees Dirk.

„Vertel dat maar aan de autoriteiten, na de bevrijding!"

„Daar zal ik persoonlijk voor zorgen." Dirk zwaaide zich in

het zadel en trapte op de kickstarter. Meteen begon de machine monotoon te brommen. Kok klom achterop.

Dirk stak een hand op en Joris beantwoordde de groet. „Goeie reis," riep hij, tegen het motorgeronk in.

Dirk en Kok hadden geen uitgewerkt plan. Dirks eerste en voorlopig enige doel was de Achterhoek te bereiken. De familie Koperman zat in de buurt van Markelo ondergedoken. Wat er ging gebeuren als hij hen had gevonden, wist hij niet. Het zou best kunnen dat hij zich al die tijd onnodig ongerust had gemaakt, dat alles prima in orde was. Dan zou deze gevaarlijke tocht voor niets zijn geweest. Maar in ieder geval zou hij Judith na zo'n lange tijd weer zien en dat was alle moeite van de wereld waard.

Voorlopig wilde hij ook aan niets anders denken. De kans dat hij even snel een spoor zou ontdekken van SS-luitenant Bloks was zo klein, dat hij de gedachte daaraan zo ver mogelijk van zich afschoof. Toch kon hij niet voorkomen dat het beeld van de Zwarte Meester nu en dan in hem opkwam. Hij hield zichzelf voor dat hij eindelijk eens moest ophouden de jodenjager in zijn gedachten altijd te koppelen aan Judith en haar familie. Voor Bloks was de naam Koperman waarschijnlijk een naam in een lange rij van mensen die hij door zijn fanatisme in het ongeluk had gestort. Als hij in de Achterhoek was, zou hij heus wel andere dingen aan zijn hoofd hebben.

Trouwens, was de Zwarte Meester wel in de Achterhoek? Was hij nog in Nederland? Dirk moest bekennen dat hij daar wel op hoopte. Hij zou het moeilijk kunnen verteren, als hij te horen zou krijgen dat Bloks naar Duitsland was gegaan. Hij wilde nog met die verrader afrekenen! En omgekeerd voelde hij dat de Zwarte Meester er ook zo over dacht. Stilzwijgend hadden ze elkaar tot vijand verklaard. Dirk was er zeker van dat het vroeg of laat tot een beslissende confrontatie zou komen. Maar waar, wanneer, en hoe?

Het was bitter koud op de motor. De degelijke kleding beschermde hun lichamen vrij goed, maar hun gezichten en vooral hun handen en voeten begonnen te tintelen. Kok kon zijn handen nog in zijn zakken stoppen en beschutting zoeken achter de rug van Dirk, maar die moest het stuur van de zware motor in bedwang houden. Hij had alle aandacht nodig om in het donker, op de spekgladde weg, overeind te blijven. Zijn handen lagen als ijsklompen in de grote, leren handschoenen. Na verloop van tijd voelde hij geen tinteling meer. Ze zijn bevroren, dacht hij.

Toen de hemel in het oosten begon op te lichten, waren ze pas halverwege. Ze hadden nog zeker vijfenzeventig kilometer te gaan, in vol daglicht. Dat vooruitzicht maakte de kou nog bijtender.

11

Ze hadden geluk. Toen het volop licht was, waren Dirk Kromvoort en Kok al voorbij Lunteren. Op een zijweg hadden ze even staan overleggen wat ze verder zouden doen. Kok wilde over de smalle binnenwegen reizen, maar de Vos was het daar helemaal niet mee eens.

„Op een binnenweg is een eenzame, Duitse motor een bezienswaardigheid," betoogde Dirk. „Op de grote, doorgaande verbindingswegen is het een normaal verschijnsel. We hebben ons vermomd als Duitsers, laten we ons dan ook zo gedragen. Trouwens, we zullen heel wat minder last van de sneeuw hebben op grote wegen, dan op een weg waar alleen zo nu en dan een boerenkar rijdt."

„Luister nu eens naar mij," drong Kok aan. „Ik weet waar ik over praat. Op de grote wegen rijden voortdurend patrouilles heen en weer. Feldgendarmerie, Jagdkommando's van de SS, Einsatzkommando's van de Sicherheitspolizei. Je weet niet half hoe ze tekeergaan sinds ze zich in het nauw gedreven voelen. Alles en iedereen wordt gecontroleerd. Stel je eens voor dat we aangehouden worden, wat dan?"

Dirk klopte vol vertrouwen op de tas op zijn heup: „Wij zijn koeriers. We hebben een opdracht bij ons. Iedereen die ons ophoudt, kan daarvoor ter verantwoording worden geroepen.

Ze zullen zich wel tweemaal bedenken voor ze het ons echt moeilijk maken."

Kok bleef moeilijk doen en protesteren. Voor een man die al zoveel gevaarlijk werk gedaan had, gedroeg Kok zich merkwaardig. Dirk wist niet goed wat hij ervan moest denken. „Ik ga over de grote weg," zei hij ten slotte op een toon die geen tegenspraak meer duldde. „U kunt opstappen, of hier blijven staan. Dat maakt mij niet uit. Nou, wat doet u?"

„Je laat me weinig keus." Kok klom bokkig op het zadel.

Dirk leek gelijk te krijgen. Een kilometer of tien reden ze over een vrijwel onbevolkte weg. Heel af en toe zagen ze een eenzaam voortploeterende fietser of een met houtgas gestookte vrachtwagen. Op een bepaald moment haalden ze groepjes voetgangers in. Het was de eerste keer dat Dirk de voedselzoekers met eigen ogen zag. Het raakte hem tot diep in zijn ziel. Hij schaamde zich onder de uitgebluste blikken van de voortsukkelende mensen. Die konden in hen natuurlijk niets anders zien dan weer een paar van die onderdrukkers, die de schuld waren van hun ellende.

Langzaam werd het drukker op de weg. Een kleine colonne, voorafgegaan door twee motoren, kwam hen tegemoet. Dirk voelde de handen van Kok in zijn middel grijpen, maar zelf bleef hij onverstoorbaar. Bij het passeren stak hij brutaal zijn hand op en de Duitsers groetten terug.

„Laat dat voortaan uit je hoofd!" siste Kok in zijn oor, toen ze voorbij waren. „Wil je ons voor het vuurpeloton brengen?"

Ze bereikten Brummen, even ten zuiden van Zutphen. Plotseling leek alles verkeerd te gaan. Langs de weg naar Zutphen had Dirk hier en daar groepjes soldaten zien staan, op zijpaden en achter groepjes bomen. Hij vertrouwde het niet helemaal en daarom wilde hij er zo snel mogelijk voorbij. Hij gaf gas en reed met grote snelheid zijn ongeluk tegemoet. Direct voorbij een kromming stuitten ze op een versperring. Er stonden vrachtwagens dwars over de weg en daarvoor stond een rij soldaten met het geweer in de aanslag. In de berm zag Dirk in een flits een paar officieren staan. De kleppen van hun petten glansden in de zon, de zilveren borduursels op hun schouders en kragen schoten vonken.

Dirk minderde vaart toen een gehelmde Feldwebel van de Gendarmerie met opgeheven arm naar voren sprong. „Halt!"

Dirk stopte en wachtte uiterlijk rustig af. Hij keek naar de Duitser, die met een hand aan zijn machinepistool krijgshaftig aan kwam lopen.

„Heb je nu je zin?" hijgde Kok in zijn oor. „We zijn er gloeiend bij!"

De Feldwebel was nu genaderd, bleef staan en vroeg op gebiedende toon: „Wohin?"

„Herr Major," antwoordde Dirk met een glimlach, waarbij hij de man opzettelijk een paar rangen te hoog aansloeg, „das kann ich leider nicht sagen! Wir haben eine Schweigepflicht!" Hij klopte veelbetekenend op zijn heuptas en keek vervolgens nieuwsgierig in het rond. „Was ist eigentlich los?"

De Feldwebel liet zich niet vermurwen. „Papiere, bitte."

„Na, gut!" zei Dirk berustend en ging met zijn hand naar zijn binnenzak.

Op dat moment naderde een officier, die op een afstand al riep: „Was ist das, Schwarz? Machen Sie den Weg frei!"

De autoritaire houding van de ondergeschikte was meteen

verdwenen. „Jawohl! Zu Befehl, Herr Oberleutnant!" Haastig ging hij een stapje opzij en gebaarde naar Dirk.

Die knikte, de vriendelijkheid zelve. Rustig schakelde hij in en tergend langzaam reed hij langs de afzetting, tussen de vrachtwagens door. Er eenmaal voorbij gaf hij gas en stoof weg, alsof hij de verloren tijd wilde inhalen.

Na nauwelijks een paar honderd meter, minderde hij weer vaart en keek achterom. De wegafzetting was uit het gezicht verdwenen. Dirk reed de berm in en zette de motor af.

„Wat doe je nou?" vroeg Kok ongerust.

„Ik stop, dat ziet u toch."

„Dat zie ik, ja, maar waarom stop je? Dadelijk hebben we de moffen weer op onze nek!

„Rustig maar," suste Dirk en hij stapte van het vehikel. Hij wees naar een paar struiken. „Vindt u het goed dat ik even het bos in loop om..."

„O, bedoel je dat." Kok stapte nu ook af.

„Dat bedoel ik. Een ogenblik."

„Schiet een beetje op. Ik heb geen zin onnodig risico te lopen."

Dirk was al op weg, maar draaide zich om en liep terug. Hij keek zijn reisgenoot onderzoekend aan. „Voor een doorgewinterde verzetsman heeft u toch wel erg gauw de zenuwen. Toen ik u leerde kennen, was u één en al onverstoorbaarheid, maar sinds we op weg zijn, bent u omgedraaid als een blad aan een boom. Zit u iets dwars of zo?"

„Onzin!" Kok ging nadrukkelijk rechtop staan en stak zijn kin naar voren. „Ik weet echt niet wat je bedoelt. Ik bang? Jongen, je weet niet wat je zegt. Jij bent degene die iedere keer laat merken dat hij absoluut geen ervaring heeft met dit soort werk; je bent roekeloos. En daar krijg ik het een beetje benauwd van."

„Ik mag dan geen ervaring hebben als koerier," verdedigde Dirk zich, „maar ik ben echt geen groentje meer. Ik heb geleerd om achterdochtig te zijn. Om het maar ronduit te zeggen, ik vind dat u zich heel vreemd gedraagt? Wie bent u eigenlijk?"

„Op zo'n idiote vraag geef ik geen antwoord! Schiet nu maar op, zodat we verder kunnen."

„Nee!" Kok werd verrast door de harde stem van Dirk. „Wij gaan nergens heen. Wij blijven hier langs de weg staan, tot u mij antwoord heeft gegeven op mijn vraag. Al komen er duizend Duitsers voorbij. Nou?"

„Je bent niet goed snik! Er is niets, zeg ik je. Je ziet spoken. Dirk, doe me nu een plezier en laten we doorrijden. Je brengt ons allebei in gevaar!"

„Dat weet ik."

„Alle mensen!" Kok maakte een hulpeloos gebaar met zijn handen. Zijn gezicht was bleek geworden en hij keek Dirk onzeker aan. „Wat wil je nou? Dat ik met twee vingers in de lucht zweer dat er helemaal niets met mij aan de hand is? Het lijkt wel alsof je me niet vertrouwt!"

„Heb ik dan reden om u niet te vertrouwen?"

Kok zweeg, met zijn tong bevochtigde hij zijn droge lippen en zijn blik dwaalde weg. Toen zei hij met een toonloze stem: „Als je zo begint, kunnen we beter uit elkaar gaan."

„Bedoelt u dat ik u hier langs de weg moet achterlaten? Geen sprake van. Samen uit, samen thuis, dat is de afspraak en daar hou ik me aan. Ik wil alleen weten met wie ik reis, dat is alles. En op dit moment is me dat niet helemaal duidelijk."

Kok slenterde weg en bleef met zijn rug naar Dirk toe staan.

„Als ik je nu eens beloof dat alles je duidelijk zal worden voor deze missie achter de rug is? Want, ja," hij draaide zich om, „er is iets mis met me. Wat dat is, dat kan ik nu nog niet zeggen. Dat durf ik niet, omdat ik bang ben dat jij dan gekke dingen gaat doen. Daardoor zouden mensenlevens in gevaar kunnen komen en dat wil ik tot elke prijs vermijden. Meer kan ik niet zeggen, ik zweer het je. Probeer me te vertrouwen."

Dirk aarzelde. Voor hem stond een man die duidelijk met iets zat. Hij wist niet wat hij ervan moest denken.

„Goed," zei hij ten slotte. „Ik zal u het voordeel van de twijfel geven, maar ik wil wel een voorwaarde stellen."

„En dat is?"

„Dat u bij mij in de buurt blijft. Ik wil u geen ogenblik uit het oog verliezen."

„Dus toch wantrouwen."

„Noem het voorzichtigheid." Dirk keek de weg af en schrok. In de verte naderde met grote snelheid een gecamoufleerde personenauto, voorafgegaan en gevolgd door motoren. Het was een gepantserde Mercedes en op de motorkap wapperde een wimpel met een hakenkruis. „We krijgen visite! Speel je rol. Langs de weg en in de houding! Vlug!"

Ze waren net op tijd. Stram als doorgewinterde militairen zagen ze de auto passeren. Er zaten twee mannen in. Een hoge officier, wiens pet blikkerde van het goud en een burger met een bolhoed op. In een flits waren ze voorbij, zonder de soldaten langs de kant ook maar een blik waardig te keuren.

„Dat waren hoge pieten," zei Dirk, terwijl hij hen nakeek. „Heel hoge pieten, als je bedenkt dat daarvoor een hele weg wordt afgesloten."

„Ik weet wie dat was," zei Kok, duidelijk onder de indruk. „Dat was generaal Friedrich Christiansen, opperbevelhebber van de Duitse strijdkrachten in Nederland!"

„Goedendag, zeg! Dat is niet de minste."

„Het is de hoogste. Op Seyss-Inquart* na, misschien."

„Geen wonder dat daarvoor de halve Wehrmacht op de been gebracht wordt."

„Het is een schoft!" zei Kok heftig.

„Dat is bekend," knikte Dirk. „Zullen we dan nu maar verder gaan? Met een beetje geluk zijn we over een uur in Markelo." Hij leek hun geruzie vergeten te zijn.

Kok wees naar de bosjes. „Moest jij niet even...?"

„Dat zou ik haast vergeten," zei Dirk met een grijns.

Door de plotselinge confrontatie met een van de hoogste nazibonzen in Nederland, vergat Dirk het geruzie een tijdje. Zijn aandacht was trouwens steeds meer bij het doel van hun reis. Voor de dag om was, hoopte hij te weten waar Judith en haar familie waren. Hij verlangde er hevig naar haar te zien.

Onder het rijden moest hij toch weer aan de woorden van Kok denken. Kok had zelf min of meer toegegeven dat er iets niet helemaal klopte. Waarom vertelde hij niet hoe de vork precies in de steel zat?

De witbesneeuwde daken van Markelo verschenen aan de horizon, glinsterend in het heldere zonlicht. Kok tikte Dirk op zijn schouder.

**Seyss-Inquart: Tijdens de bezetting de Duitse Rijkscommissaris in Nederland.*

„Is er iets?" riep Dirk boven het motorgeronk uit.

„Stop even!" riep Kok terug.

Dirk zette de motor aan de kant en keek de ander vragend aan, zonder iets te zeggen. Misschien komt hij nu al met een verklaring, dacht hij. Maar dat was niet zo.

„Ben jij van plan om zo Markelo binnen te rijden?" vroeg Kok.

„Daar heb ik eerlijk gezegd nog niet aan gedacht. Een beetje... eh... opvallend is het wel, hè?"

„Nogal. En provocerend bovendien. We lopen zo de kans dat de Duitsers ons aanspreken. En tegelijk zal de bevolking ons met veel argwaan bekijken.

„Heeft u een idee?"

„Ja, ik weet wel iets." Kok knikte en wees naar een groep bomen in de verte, waar het dak van een huis bovenuit stak. „We kunnen daarheen. Ik ken de mensen die daar wonen."

Onmiddellijk kwam de argwaan weer bij Dirk boven. „U komt toch uit Assen?"

„Dat klopt, maar door mijn werk heb ik overal contactadressen. Dit is er een van."

„Wat een gelukkig toeval," zei Dirk en hij kon er niets aan doen dat zijn woorden een scherpe klank hadden.

„Zo kun je het noemen." Kok leek zijn zelfvertrouwen weer helemaal terug te hebben. „Maar dat is het niet. Het is geen toeval. Ik ben niet gewend zaken aan het toeval over te laten."

„O?!"

„Als we deze weg niet hadden genomen, had ik erop aangedrongen dat wel te doen," ging Kok door. „Dus, wat zullen we doen? Ik moet er wel bij zeggen, dat dit onze laatste mogelijkheid is om onderdak te komen. Eenmaal in Markelo kunnen we geen kant meer op. Bovendien weet ik zeker, dat de mensen in dat huis op de hoogte zijn van alles wat er in deze regio gebeurt. Als je informatie wilt inwinnen over de familie Koperman, kun je die hier waarschijnlijk krijgen."

„Waar wachten we dan op?"

Dirk reed rustig de klinkerweg naar het huis op. In de sneeuw op de weg waren alleen brede sporen van autobanden te zien. Ze naderden de bomengroep. Het huis was al te zien. Een breed landhuis met een bordes voor de dubbele voordeur. Hoge, rechthoekige ramen aan weerskanten, met lange, smetteloze vitrage. Het zag er erg duur uit en dat vond Dirk vreemd. Iets klopte niet met het beeld van wat je verwacht bij een goed verborgen contactadres van de ondergrondse.

En plotseling wist hij het. De autosporen! Waar kwamen die vandaan? Die waren niet van één auto en ze waren van vandaag, van vanochtend! Er werd hier vrij druk gereden, van en naar dat huis. Dirk remde.

„Wat doe je?" vroeg Kok in zijn oor.

„We gaan terug," antwoordde Dirk. „Ik vertrouw het niet!"

„Je rijdt door!" zei Kok scherp en meteen voelde Dirk iets kouds en hards achter zijn oor. Het was de loop van een pistool. „Tenminste, als je leven je lief is!"

Even zat Dirk als verlamd. Hij was in de val gelopen, hij had een verrader achterop!

„Jij, vuile schoft," bracht hij er met moeite uit.

„Nee, dat ben ik niet," weersprak Kok. „Ik zou het je kunnen uitleggen, maar daar is nu geen tijd voor. Rijden, zeg ik!"

Dirk zocht een kans om weg te komen. Plotseling zag hij een plank over een sloot liggen. Erachter was een knollenveld, dat verderop overging in weiland en akkers. Terwijl zijn handen het stuur omklemden, telde hij stil tot drie...

Met een ruk draaide hij de gashandel wijd open, hij rukte het stuur naar links en stuurde op de plank af. De motor schoof in een wijde cirkel onder hem vandaan en even dreigde hij de controle over de zware machine te verliezen. Slippend tolden ze rond; Kok schreeuwde verrast en klampte zich aan hem vast. Dirk kreeg de motor weer recht en stuurde haarscherp op de plank af. Ze vlogen er overheen. Hotsend en botsend ging het nu over het ongelijke veld, een spoor van harde, bevroren aardkluiten opwerpend. Met loeiende motor joeg Dirk voort. Hij dacht niet aan het pistool dat elk moment een einde aan zijn leven kon maken.

„Stop! Stop, zeg ik je!" brulde Kok boven het geraas uit.

„Straks!" schreeuwde Dirk terug en hij raasde door. Hij wist niet waarheen hij reed. Voorlopig wilde hij alleen zo ver mogelijk bij dat bedrieglijk vredige huis vandaan. Ik moet Kok zien kwijt te raken, dacht hij, maar hoe doe ik dat? Schieten zal hij niet, want dan verongelukken we allebei. Maar ik kan ook niet over de akkers blijven rijden. Dat valt een beetje te veel op. Misschien hebben ze vanuit het huis gezien wat er is gebeurd, en dan komen ze zeker achter ons aan.

„Gebruik je verstand, Dirk Kromvoort!" schreeuwde Kok weer in zijn oor. „Dit leidt tot niets. We kunnen geen kant op!"

„We zullen zien, smerige landverrader die je bent!" riep Dirk woedend.

Voorlopig leek de ander gelijk te krijgen. Er kwam geen einde aan de akkers; een paar keer moest Dirk van richting veranderen omdat hij op een sloot stuitte. Als dat zo doorging, bleven ze in een kringetje ronddraaien en kwamen ze geen stap verder.

Opeens was er een kans op ontsnapping. Ze kwamen bij een weiland waarin een laag bouwsel stond, een schuilhok voor koeien en paarden. Er zat geen deur in en dat kwam heel goed uit. Zonder zich te bedenken reed Dirk in volle vaart naar binnen. Het voorwiel botste tegen de wankele houten wand, die onheilspellend kraakte, maar overeind bleef. Berijder en duopassagier vlogen uit het zadel alsof ze gelanceerd werden.

Dirk kwam met zijn schouder en hoofd tegen de wand terecht en hij was blij met de degelijke helm die hem beschermde. Hij rolde weg en sprong bijna meteen overeind.

Kok lag nog dubbelgevouwen met zijn handen in zijn maag. Dirk dook boven op hem en drukte hem verder neer. Hij rukte aan Koks armen, op zoek naar het pistool, maar dat was er niet.

„Dat ben ik allang kwijt," kreunde Kok.

Dirk bedaarde, maar hij hield zijn tegenstander stevig omklemd. „Zo, mannetje!" hijgde hij. „Nu ga je mij precies vertellen wat voor vuil spelletje jij speelt."

„Moet je me daarvoor zo ongenadig strak vast blijven houden?" kreunde Kok. „Ik heb pijn in mijn borst. Volgens mij heb ik een paar ribben gekneusd."

„Dat is nog niets vergeleken met wat ik met jou van plan ben, als je niet heel braaf doet wat ik je zeg," dreigde Dirk. Hij liet hem los en stond op. Daarna keek hij toe hoe Kok overeind krabbelde en met zijn rug tegen het houten beschot ging zitten.

„Vertel op!" eiste de Vos.

„Ik ben geen verrader," begon de aangeslagen man langzaam. „Wat ik doe… wilde doen, deed ik, omdat ik niet anders kon."

„Dat klinkt interessant. Verzin eens een ander smoesje."

„Het is geen smoesje! Ik ben net zo zuiver als jij. Ik ben al ruim twee jaar actief bij de ondergrondse in Drenthe. Ik verricht wel degelijk al een hele tijd koeriersdiensten naar alle uithoeken van het land. Ook naar het Zuiden. Ik doe mijn werk goed en zorgvuldig, en ik ben betrouwbaar."

„Waarom wilde je me dan in de val laten lopen? Want dat was toch de bedoeling? Dat huis, van wie is dat? Van de Gestapo? Hoeveel goede vaderlanders heb je op deze manier al uitgeleverd aan de vijand?"

„Nog niemand. Jij zou de eerste zijn geweest."

„En dat moet ik geloven!"

„Geloof het of niet, het is zo. Voor ik deze laatste keer naar het Zuiden kwam, naar de Biesbosch, ben ik naar Amsterdam geweest. Eigenlijk had ik dat niet moeten doen. Ik was gewaarschuwd dat de Duitsers op een of andere manier op de hoogte waren van mijn doen en laten. Ik geloofde het niet. Niemand legde mij een strobreed in de weg, niets wees erop dat het gerucht waar was. Dus ik ging. Toen ik terugkwam..."

„Ja?" drong Dirk aan.

„Toen ik terugkwam, bleek dat mijn gezin was opgepakt!" Kok sloeg zijn handen voor zijn mond, alsof hij de ontzetting van die ontdekking wilde verbergen. Door zijn vingers heen ging hij verder, op fluisterende toon: „Mijn vrouw, mijn beide kinderen, mijn Freddy en Elsje... ze zijn vijftien en zeventien. Gearresteerd! Net als mijn vader, die bij ons inwoonde."

Dirk reageerde niet. Een pijnlijke stilte volgde op deze vreselijke ontboezeming.

„Ik wist niet wat ik moest doen," ging Kok verder. „Ik was gek van ellende en ging me aangeven bij de Gestapo. Ik vroeg hun mijn gezin vrij te laten, in ruil voor mij. Maar dat wilden ze niet. Ze wilden dat ik voor hen ging werken. Zolang ik gehoorzaam deed wat zij wilden, zou er met mijn gezin niets gebeuren. Ik mocht hen zelfs bezoeken. Ze waren hierheen gebracht, naar Markelo. Ze werden behoorlijk verzorgd. Dat zou zo blijven zolang ik deed wat zij zeiden. Wat moest ik doen?" Hij keek Dirk recht aan. „Jij mag mij zeggen wat ik in die situatie had moeten doen. Maar dat kun je zeker niet?"

„Nee," moest de Vos toegeven. „Dat is... onmogelijk. Wat deed je? Wat wilden ze van je?"

„Dat ik gewoon mijn werk als koerier bleef doen. Dat ik gegevens aan hen zou doorspelen, waar ze iets mee konden doen. Ze zeiden dat ik met namen moest komen van mensen die in het verzet zaten, met wie ik samenwerkte. En dat ik hen op het spoor moest zetten van personen die uit het Zuiden kwamen."

„Zoals ik," begreep Dirk.

„Zoals jij," knikte Kok. „Ik moest hen hierheen lokken. Naar dit huis en anders naar een volgend adres, in de buurt van Almelo. Dat landhuis is een post van een SS-Jagdkommando. Ze zijn zo meedogenloos, Dirk. Ze gaan zo beestachtig tekeer als ze iemand te pakken hebben... Daar heb je geen idee van!"

„En aan hen wilde jij me overleveren!" zei de Vos woedend. „Hoeveel mensen heb je al in de ellende gestort?"

„Dat zei ik toch? Geloof het of niet, maar jij zou de eerste zijn geweest. Eigenlijk ben ik blij dat het niet gelukt is. Ik zou het mezelf nooit vergeven hebben."

„Alles goed en wel," zei Dirk. „Maar wat nu? Je kunt mij niet meer helpen, dat is duidelijk. Je weet waarvoor ik met je mee ben gegaan."

„Ja, dat weet ik. Misschien kan ik je toch helpen. Weet je nog dat wij elkaar voor de eerste keer ontmoetten? Toen vroeg je mij of ik een Nederlandse SS-luitenant Bloks kende. Ik heb geantwoord dat ik daar geen ja of nee op kon zeggen en ik heb je toen voorgesteld met mij mee te gaan."

„Dat weet ik nog en ik weet nu ook waarom," zei Dirk bitter.

„Het spijt me." Kok boog beschaamd zijn hoofd. „Misschien kan ik het een beetje goedmaken als ik je vertel dat ik Bloks wel degelijk ken! Hij is een van de schoften die me ondervraagd hebben. Hij zit hier ergens in de buurt."

„Nou wordt het helemaal mooi!" riep Dirk verontwaardigd. „Waarom heb je je mond niet opengedaan toen ik erom vroeg? Je had toch gewoon kunnen zeggen waar de Zwarte Meester uithing!"

„Nee, dat kon ik niet. Tenminste, ik vond dat ik dat niet kon doen. Zeg eens eerlijk, wat zou jij gedaan hebben als je dat had gehoord? Je zou me gewoon hebben meegesleurd naar die man. Je zou me gedwongen hebben, hem te helpen pakken. En wat zou dat betekend hebben voor mijn familie, denk je? Die zou verloren zijn geweest, en ik ook! Nee, Dirk, dat kon ik niet riskeren. Daarom zweeg ik."

De Vos dacht na en toen hij weer sprak, klonk er begrip in zijn stem. „Je hebt het niet gemakkelijk gehad, lijkt me zo. Je moet je al die tijd ellendig hebben gevoeld."

„Nog steeds! En wat ben je nu van plan? Want je moet wel weten dat je tegenstander een sluwe, geslepen vent is. Jij kent de Zwarte Meester, zeg je? Nou, de mensen die hier met hem te maken hebben gehad, hebben hem ook leren kennen. Iedereen huivert als men over SS-Jagdkommando Bloks hoort praten. De man gaat tekeer alsof hij voordat de oorlog echt voorbij is, nog zoveel mogelijk slachtoffers wil maken. Het is een beest."

„Daar komt nu een eind aan," beloofde Dirk grimmig. „In de eerste plaats vertel jij me alles wat je weet. Je begrijpt dat we nu niet meer samen op stap kunnen. Jij moet onderduiken. Heb je een adres waar je je veilig kunt verstoppen?"

„Dat denk ik wel. Maar ik kan niet al te lang uit het beeld van de nazi's blijven. Ze zouden achterdochtig worden. Ik ben ervan overtuigd dat ze nu al weten dat ik onderweg ben."

„Hoe zouden ze dat moeten weten?"

Kok glimlachte met een grimmige trek om zijn mond. „Ze hebben nog meer mensen in hun macht. Mannen en ook vrouwen die, om zichzelf of hun familie te redden, samenwerken met de bezetter. Niet alle mensen zijn helden, Dirk. De meesten willen alleen maar overleven, ten koste van alles. De nazi's weten dat en ze maken er gebruik van. Ja, ze zijn op de hoogte. Ze weten misschien niet precies waar ik ben, maar dat ik uit de Biesbosch ben vertrokken, weten ze zeker."

„Dan moeten we vlug zijn," zei Dirk op besliste toon. „Geef mij nu eerst maar eens alle informatie die je hebt. Maar dan ook alles! Waar Bloks uithangt, hoe hij opereert en vooral waar. Waar wordt jouw familie vastgehouden? Kun je me vertellen waar Bloks de laatste tijd heeft toegeslagen? Al die dingen moet ik weten. En je moet me een adres geven waar ik terecht kan, als ik hulp nodig heb. Je hebt toch wel zo'n adres?"

„Ja. Maar ik weet niet of dat nog veilig is."

„Dat zal ik erop moeten wagen. Nou, vertel op!"

De volgende minuten was Kok aan het woord. Dirk luisterde zonder hem te onderbreken. Alles wat hij hoorde, prentte hij in zijn geheugen. Toen Kok klaar was, liet hij hem de belangrijkste dingen herhalen. Hij wilde zeker zijn dat hij niets verkeerd had begrepen.

„Dus," zei hij, toen Kok eindelijk zweeg, „heel in het kort. Het Jagdkommando van Bloks zit in een verlaten schoolgebouw in Goor. Maar hij maakt ook gebruik van het huis dat we zojuist gezien hebben. In dat huis komen soms verschillende commando's bij elkaar, waarschijnlijk om te overleggen. Daar worden ook mensen ondervraagd, voor ze op transport gaan naar de concentratiekampen. Jouw familie zat, de laatste keer dat je ze hebt gezien, in die school in Markelo. Er zijn de laatste weken verschillende boerderijen overvallen in een straal van zo'n tien kilometer rond die plaats. Je weet het niet zeker, maar je denkt dat daarbij ook sprake was van Herike en Schoolbuurt. En in die laatste plaats, in Schoolbuurt, zit een man met wie ik contact kan opnemen. Die man heet De Jong. Hij heeft een kleine drukkerij, die nu gesloten is. Klopt het allemaal wat ik zeg?"

„Ja," knikte Kok. „En wat nu?"

„Jij doet niets meer. Ik breng je naar die De Jong en daar duik je onder."

„Maar wat zal er met mijn familie gebeuren?" Kok werd asgrauw bij de gedachte dat hij zijn vrouw en kinderen misschien niet meer zou terugzien.

„Geen idee." Dirk stond hulpeloos te kijken. „Het spijt me, maar daar kan ik ook geen antwoord op geven. Komt tijd, komt raad."

„En wat ga jij verder doen?"

„Vind je het vreemd als ik daar geen antwoord op geef?"

Kok boog zijn hoofd. „Het spijt me dat het zo gelopen is."

12

De zon kwam bleek en zilverig op boven de horizon en wierp langgerekte schaduwen over het witte land. De wolken die de sneeuw hadden gebracht, waren verdwenen; de lucht was strakblauw. Daaronder lagen de akkers en weilanden als zorgvuldig uitgemeten rechthoeken, omlijnd door zwarte sloten en greppels. Willekeurig verspreid over dat nauwkeurig ingedeelde land lagen de boerderijen.

Op de wegen begon wat verkeer op gang te komen. Het waren voor het grootste deel militaire voertuigen. Soms maar een, vaak een aantal achter elkaar, in colonnes. Ze verplaatsten zich in allerlei richtingen.

Er waren ook voetgangers op weg. Mannen, vrouwen en kinderen. Hun kleren waren dun en armoedig. Ze droegen lappen of oude sokken om hun handen. Door hun versleten schoenen drongen kou en vocht genadeloos naar binnen. Soms trokken ze kinderwagens achter zich aan, met daarin geen baby's, maar de buit van de tocht. Ze duwden ook fietsen zonder banden voort. Ze kwamen uit het westen, uit Amersfoort, Utrecht en sommigen van nog verder weg, zelfs uit Amsterdam en Haarlem. De honger had hen uit hun huizen gedreven, van plaats naar plaats, steeds verder in oostelijke richting. Velen waren al dagen onderweg. Ze waren aan het einde van hun krachten. Alleen de hoop dat ze toch ergens wat eten zouden kunnen krijgen, hield hen op de been. Want thuis werd op hen gewacht, op hen, maar vooral op dat zakje aardappelen, die paar broden, desnoods wat onsmakelijke rapen of wortelen. Alles wat eetbaar was, was welkom.

Ze gingen van boerderij naar boerderij. Soms hadden ze geluk. Dan mochten ze binnenkomen, zich even warmen bij de kachel; dikwijls kregen ze wat te drinken en te eten.

Even buiten Markelo, in de buurt van Herike, stond de boerderij van Harm en Geertje Deelen. De boerderij maakte een verlaten indruk. De mensen in de omgeving wisten wat daar de oorzaak van was. Nauwelijks twee weken daarvoor hadden de Duitsers een razzia gehouden en iedereen meegenomen. Naar het scheen waren er onderduikers gevonden, ook joden. Er was geschoten en volgens de geruchten waren er doden gevallen. Sindsdien leek de boerderij leeg te staan en niemand waagde het om eens poolshoogte te gaan nemen. De zandweg erheen was afgezet. Nu en dan kwam er een legerwagen, die tot op het erf reed en na enige tijd weer vertrok. Men had gezien hoe de Duitsers het weinige vee dat boer Deelen nog bezat, uit de stallen hadden gehaald. Wie weet wat ze er verder nog uitspookten. Misschien gebruikten ze de boerderij wel als een hinderlaag. Dat deden ze wel vaker met plaatsen waar een razzia succes had gehad.

Nee, de boeren in de omtrek bleven daar weg. Ze waarschuwden de voedselzoekers uit het westen er niet heen te gaan. Zo trokken veel voedselzoekers aan de boerderij van Deelen voorbij, niet vermoedend dat die nog wel bewoond was, dat er nog steeds mensen zaten, die zich angstig verborgen hielden. Want in de boerderij zaten Judith Koperman en Tom Vorstenbosch met drie kleine kinderen.

Ze sliepen in de kelder onder de opkamer. Ze hadden er zoveel mogelijk beddengoed en kleren heen gesleept. Daarheen vluchtten ze ook, als ze de Duitsers weer hoorden komen. Weggedoken onder het trapje naar de opkamer zaten ze dan met kloppend hart te luisteren naar de stemmen in de stal en naar het ruwe gelach. Naar het loeien van de koeien en het knorrige protest van de varkens die werden weggehaald.

Overdag bleven de ramen verduisterd en de deuren op slot. Judith en Tom vertelden de kinderen steeds, dat ze stil moesten zijn. Ze mochten niet rennen of schreeuwen, niet met veel lawaai ruzie met elkaar maken. Ze durfden geen vuur te maken, omdat ze bang waren dat de rook uit de schoorsteen hen zou verraden. Ze hielden zich warm door zoveel mogelijk kleren aan te trekken. Er was een spiritusbrander, die ze maar af en toe gebruikten om wat groenten uit de weckflessen te koken of een paar eieren te bakken. Toen al het brood op was, kauwden ze op de repen spek en gerookte ham, die ze uit de schouw hadden gehaald. Ze aten de appels die op de zolder waren uitgelegd. Ze waren zo bang voor ontdekking, dat ze niet meer rustig konden denken.

Nu en dan realiseerden Judith en Tom zich, dat ze zo niet konden doorgaan. Dat ze op een dag wel naar buiten móésten gaan, om contact te zoeken met mensen die hen misschien konden helpen. Ze durfden het alleen niet. Voor zichzelf niet, maar vooral niet omwille van de drie kinderen, voor wie ze zich verantwoordelijk voelden.

De kinderen waren wel heel dapper. Het was soms pijnlijk om

te zien hoe de oorlog hen vroegwijs had gemaakt. Ze spraken bijna nuchter en koel over wat er met hun ouders gebeurd was, over gevangenis en dood, alsof het zaken waren die nu eenmaal bij hun jonge leven hoorden.

Af en toe wilden ze natuurlijk even naar buiten om te spelen en te ravotten. Judith en Tom vonden het een hele klus om de kinderen aan het verstand te brengen dat dat niet kon, dat het te gevaarlijk was.

Die heldere wintermorgen werd Tom Vorstenbosch vroeg wakker. Bijna automatisch keek hij naar het kleine raam, waarvan ze het gordijn 's avonds altijd een beetje openschoven, zodat er wat licht kon binnendringen als het dag werd. Hij zag het heldere zonlicht, dat een gouden streep trok over de slapende kinderen tussen hem en Judith in. Hij richtte zich op en keek naar haar. Zoals elke morgen trof het hem, hoe mooi en vredig, maar voor hem onbereikbaar, ze daar lag. De eerste dagen na de razzia leek het alsof Judith de emotionele ogenblikken tussen hen beiden, vlak voor de verschrikkelijke gebeurtenissen, was vergeten. Daarna had hij voorzichtig geprobeerd erop terug te komen. Ze was kwaad geworden en had hem gevraagd hoe hij het in zijn hoofd haalde in deze situatie aan zulke dingen te denken. Ze had gedreigd dat hij niet meer in de kelder mocht komen, als hij erover door bleef gaan. Dan moest hij maar ergens anders gaan slapen. Zij kon 's nachts wel alleen op de kinderen passen.

Hij had gedaan alsof hij haar houding begreep. Hij had beloofd er niet meer over te beginnen, maar dat lukte niet altijd. Het zat hem vreselijk dwars dat ze hem bleef afwijzen. In heftige, fluisterende gesprekken had hij haar voorgehouden dat er daarbuiten niemand meer was die op haar wachtte en dat ze moesten proberen om er samen het beste van te maken. Judith wilde alleen niet luisteren. Ze hield hem nadrukkelijk op afstand. Het maakte hem onzeker, maar het deed hem ook pijn. Want hij hield echt van haar, al wist hij niet precies hoe sterk zijn gevoelens beïnvloed werden door de hele situatie.

Voorzichtig, om de kinderen niet wakker te maken, stond Tom op. Hij rekte zich uit en liep naar de waskom die in een hoek van de kelder stond. Het water was bevroren. Pas nu merkte hij hoe koud het was. Van een spijker in de deur nam hij een trui en een overjas en trok die aan over zijn andere kleren. Hij nam de waskom en ging het trapje op. Met zijn hoofd duwde hij het luik open, schoof de waskom op de vloer en klom verder, tot hij het luik weer achter zich kon sluiten. Met de waskom in zijn handen liep hij naar de werkkeuken. Door de verduistering voor het raam was het schemerig. Voorzichtig keek hij door een kier naar buiten. Het erf was uitgestorven.

Hij brak het ijs in de kom en gooide het water weg. Even later vervloekte hij zijn stommiteit. De pomp was ook bevroren. Wat moest hij nu doen? De regenput? Daarin stond het water diep, hopelijk te diep voor de vorst.

Hij liep naar de deur, deed die van het slot en opende hem. Een heldere lichtgolf sprong naar binnen en verjoeg de troosteloosheid. Alles zag er ineens veel levendiger en vrolijker uit. Toch bleef hij nog even op de drempel staan en keek om zich heen. Er was niemand te zien. Hij liep het erf op, vlak langs de gevel van de boerderij naar de regenput. Hij tilde het houten deksel op en keek in de diepte. Daaronder werd het licht weerkaatst door rimpelloos, maar onbevroren water.

Hij nam de emmer met het lange touw eraan en liet die met een handige beweging in de put vallen, zodat hij op zijn kant in het water plonsde. De emmer liep vol en Tom begon hem op te halen.

Hij was er zo druk mee bezig, dat hij pas op het laatste moment het diepe geluid van een motor hoorde. Hij liet van schrik het touw los, zodat de emmer weer in de diepte verdween, en draaide zich om. Midden op het erf, nog geen tien meter van hem vandaan, was een zware legermotor gestopt. De berijder stond schrijlings over het zadel, de gelaarsde voeten stevig neer geplant, de gehandschoende handen aan het stuur. Van onder de helm keken onderzoekende ogen Tom aan.

„Goedendag!" zei de motorrijder. „Ben ik hier bij Deelen? Boer Harm Deelen?"

Tom was zo in de war, dat het niet tot hem doordrong dat de soldaat Nederlands sprak. Bijna automatisch schudde hij ontkennend zijn hoofd. „Er is hier niemand. Ik ben alleen."

Nu lachte de motorrijder. Zijn koele gelaatsuitdrukking ontspande. Hij zette de motor op de standaard en stapte af. Met langzame passen, waarbij de zeildoeken jas krakende geluiden maakte, liep hij naar Tom en bleef vlak voor hem staan. „Wees maar niet bang," zei hij. Hij maakte een gebaar naar zijn uniform. „Dit is nep! Ik heet Dirk Kromvoort. Ik kom uit de Biesbosch en ik ben op zoek naar een joodse familie die hier ondergedoken zit. De familie Koperman."

„Hoe is het mogelijk!" zei Tom, verbaasd dat een vreemde wist wie op de boerderij ondergedoken had gezeten.

Judith ging plotseling rechtop zitten en spitste haar oren. Ze had een geluid gehoord dat ze niet meteen kon thuisbrengen, maar het had haar onmiddellijk gealarmeerd. Ze had zichzelf er bewust op getraind en het werkte perfect. Elk geluid dat een mogelijk gevaar kon inhouden, elke situatie die niet precies was zoals die zou moeten zijn, maakte haar oplettend.

Ze keek naar de kinderen, die rustig sliepen, hoewel het daglicht door de kier langs het gordijn naar binnen drong. David, haar broertje, lag op zijn rug, half blootgewoeld. Zijn uitgespreide arm lag over het gezicht van Annie van Lanaken.

Ze keek naar de slaapplaats van Tom, aan de andere kant van de kinderen, en zag dat die leeg was. Snel maar voorzichtig stond ze op. Ze duwde het luik dat de kelder afsloot een beetje omhoog en luisterde opnieuw. Ze hoorde niets, ging verder, stapte op de plavuizen vloer en sloot het luik achter zich. Ze zag de achterdeur openstaan en na een korte aarzeling liep ze erheen. Ze voelde hoe de binnenstromende kou haar warme lichaam afkoelde, ondanks de wollen jurk die ze 's nachts aanhield. Ze dacht er even aan terug te gaan en een jas aan te trekken. Ze liep door en toen ze bij de deur was gekomen, duwde ze die langzaam verder open. Terwijl ze dat deed, hoorde ze Tom praten. Een andere stem antwoordde. En het was die stem, die een huivering door haar heen joeg en haar hart deed overslaan.

Ze wierp de deur wijd open en liep op haar blote voeten de sneeuw in. Ze zag Tom losjes staan praten, met een glimlach op zijn gezicht. Zijn ogen lichtten even op toen hij haar zag.

De man tegenover hem, in dat gehate uniform, keerde zich nu om. Hij keek en Judith keek terug. Ze konden hun ogen niet meer van elkaar af houden. Alles om hen heen viel weg; niets

„Judith!" riep Dirk hees. *(blz. 209)*

om hen heen telde meer op dat moment.

Dirk kwam het eerst tot zichzelf. „Judith!" riep hij hees.

Zij kon alleen maar heftig knikken, terwijl de tranen over haar wangen rolden. Ze strekte haar armen naar hem uit, uitnodigend en verlangend, maar ook vragend om hulp en troost.

Met een paar grote stappen was Dirk bij haar. Hij sloeg zijn armen heel stevig om haar heen.

Ze kroop diep weg tegen de ruwe soldatenstof. Haar handen omklemden zijn rug.

„Judith?" vroeg Dirk, zachter nu. „Judith..."

„O Dirk, eindelijk! Jij bent er, je bent eindelijk bij me! O Dirk, ik heb je zo gemist! Ik had je nodig, zo vreselijk nodig en jij was er niet." Ze keek hem aan met haar grote, donkere ogen, die door de tranen nog groter en glanzender leken. Ze schudde haar hoofd omdat ze het niet kon bevatten. „Kus me, Dirk. Kus me en hou me vast! Laat me nooit, nooit meer los!"

Hun lippen smolten samen in een lange zoen en de tijd stond stil.

Het was Tom die de betovering verbrak, doordat hij langs hen liep om hen alleen te laten.

Judith merkte het. Ze liet Dirk even los en zei dolgelukkig: „Tom, dit is nou degene over wie ik je verteld heb. Dit is Dirk!"

„Dat had ik inmiddels al begrepen," zei Tom, met een berustende klank in zijn stem. „Vat maar geen kou." Hij liep door en ging naar binnen.

Pas nu zag Dirk haar blote voeten. „Hij heeft gelijk," zei hij en zonder pardon tilde hij haar op. „Wie doet nou zoiets?"

„Ik!" riep Judith vrolijk, terwijl ze speels de sneeuw van haar voeten schopte. Haar gezicht straalde.

Dirk droeg haar naar binnen en sloot de deur achter hen.

Tom stond in de keuken op hen te wachten. Hij had als enige de voorzichtigheid niet uit het oog verloren. „Trek dat uniform uit," zei hij tegen Dirk. „De kinderen schrikken zich een ongeluk als ze je zien. Dan zal ik intussen je motor wegzetten."

„Heb je iets dat ik aan kan trekken?"

„Kom maar," zei Judith en ze trok hem mee naar een zijkamer. Daar was een grote kleerkast. „Zoek maar uit. Er is genoeg en... en de mensen waar het van was... zijn er niet."

Dirk begreep het. Weer sloeg hij zijn armen om haar heen en vroeg zacht in haar oor: „Je ouders, zijn ze ook...?"

Judith knikte geëmotioneerd. „Het was verschrikkelijk."

„Je moet me er alles van vertellen. Straks."

„We moeten elkaar alles vertellen," corrigeerde ze. „Bijvoorbeeld hoe jij hier bent gekomen."

Toen de kinderen even later wakker werden, vonden ze Judith en Tom in het gezelschap van een man. De kleine David was zijn grote held nog niet vergeten*, en begroette Dirk blij.

Judith waste de gezichten van de kinderen en gaf hun te eten. Daarna stuurde ze hen naar de zijkamer.

„Wij moeten praten, plannen maken," legde ze uit. „Dat kan alleen als jullie rustig blijven en ons niet voor elk kleinigheidje storen. Afgesproken?"

„Komt de Vos ons bevrijden?" vroeg David opgewonden.

„Misschien," zei Judith vaag. „Wacht maar af." Ze liet de kinderen alleen en meteen werd David door Annie en Jantje bestormd met vragen.

*Zie: *De Vos van de Biesbosch - Een verzetsgroep in actie*

In de keuken zat Dirk met zijn ellebogen op tafel; zijn kin steunde in zijn handen en zijn ogen keken verbijsterd naar Judith en Tom. Hij had zojuist het verhaal gehoord van de brute overval, over het wegvoeren van Judiths ouders en de anderen en hoe ze daarna met de kinderen in de verlaten boerderij hadden geleefd. „En niemand kwam kijken of hier nog mensen waren?" vroeg hij niet-begrijpend.

„Jawel, de Duitsers, om het vee weg te halen. En daarna zijn ze nog een paar keer geweest," zei Tom verbitterd. „Maar voor de omgeving waren we dood. Of weg. Ik neem aan dat ze het risico te groot vonden om een kijkje te komen nemen."

„We moeten niet te hard oordelen," vond Judith. „Wie verwacht er nou dat hier nog iemand is na zo'n razzia?"

„Nee," gaf Dirk toe. „Dat verwacht natuurlijk niemand. Het is ook ongelooflijk."

„Maar waar!" zei Tom, niet zonder trots. „Wat gebeurt er nu? Ga jij ons hier weghalen?"

„Dat ben ik zeker van plan," knikte Dirk.

„Hoe had je gedacht dat te doen?"

„Ja, dat is niet zo gemakkelijk. Ik heb wel een plan, maar daar komt zoveel bij kijken, dat ik er aan twijfel of het wel uitvoerbaar is. Het is ook nogal riskant. Als het misgaat, zijn de gevolgen niet te overzien voor jullie en voor anderen."

„Welke anderen, Dirk?" vroeg Judith. „Zijn er dan nog meer mensen bij betrokken?"

„Een heel gezin zelfs." De Vos streek nadenkend langs zijn kin. Hij had zich al voorgenomen dat hij niets zou zeggen over de dubieuze rol die Kok gespeeld had. Kok was door de Zwarte Meester in een onmogelijke positie gebracht. „Het gaat hierom," vervolgde hij dan ook. „Ik ben niet alleen hierheen gekomen. Ik had een passagier bij me, een koerier. Zijn naam is Kok. Ik heb die Kok naar een adres gebracht in Schoolbuurt, naar een man die De Jong heet. Aan deze meneer De Jong is het te danken dat ik jullie heb gevonden. Hij zit in het verzet, en hij houdt precies bij wat er in deze streek gebeurt. Vooral het doen en laten van de SS-Jagdkommando's. Hij kon mij precies vertellen waar die schoften de laatste tijd hadden toegeslagen en welke mensen er waren opgepakt. En onder de namen die hij noemde, was ook de familie Deelen. Kun jij je nog herinneren, Judith, dat ik je in een brief gevraagd had mij te vertellen waar je precies zat en dat je daarna in je antwoord schreef dat we na de oorlog... alles moesten Deelen... Weet je dat nog?"

„Ja. Ik durfde niet duidelijker te zijn."

„Het was duidelijk genoeg. De rest weten jullie. Ik ben hiernaartoe gereden en heb jullie gevonden."

„Tot nu toe kan ik het volgen," zei Tom. „Maar wat nu? Wat ben je van plan; wat is dat voor een gezin, waar je het over had?"

„Alles op zijn tijd," remde Dirk hem af. „Vandaag blijf ik hier, bij jullie. We gaan alles klaarmaken voor het vertrek."

„Vertrek?" Judith sprak het bijna onhoorbaar uit, een beetje aarzelend. „Ga je ons hier echt weghalen, Dirk? En... en de anderen? Ik bedoel..." Ze moest even slikken. „Ik bedoel vader en moeder, Harm Deelen en zijn vrouw en de anderen die hier bij ons waren. Weet jij waar ze zijn? Als je het weet, moet je het mij zeggen."

„Ik weet het niet zeker," antwoordde Dirk voorzichtig. „Maar het heeft er alle schijn van dat ze weg zijn. Judith, ik wil je geen verdriet doen, maar aan valse hoop heb je niets. Je vader en moeder zijn zeer waarschijnlijk naar een Nederlands concentratiekamp gebracht. Ik kan niets voor hen doen. Misschien zijn ze daar al niet meer."

„Je bedoelt dat ze op transport zijn gesteld naar Duitsland?" Judith had zichzelf nu weer onder controle. Haar gezicht was bleek , maar haar stem trilde niet. „Er is dus geen hoop meer."

„Er is altijd hoop! Bovendien heb je David voor wie je moet zorgen. En ik beloof je dat ik alles zal doen om je ouders te zoeken én te vinden."

„Wanneer? Als het te laat is? Als de oorlog voorbij is?"

„Dan hoeft het nog niet te laat te zijn."

„Maar de kans dat ze het overleven, is niet erg groot, toch?"

Ze zwegen alle drie. Ieder had zijn eigen gedachten.

„Om terug te komen op ons vertrek van hier," zei Dirk even later, „De Jong en Kok gaan voor transport zorgen. Morgenochtend, heel vroeg, ga ik naar Schoolbuurt en sluit me bij hen aan. Dan halen we de vrouw en de kinderen van koerier Kok op. Ze verkeren in grote moeilijkheden. Als dat is gebeurd, komen we hierheen. Zorg dat jullie klaarstaan. Als alles goed gaat, zijn we rond het middaguur hier, maar het kan natuurlijk ook later worden. En nu zou ik wel een hapje willen eten en een paar uur slapen. Want ik ben bekaf."

Judith wees hem de kelder. Voor hij zich uitstrekte op het bed van Tom, wilde hij haar nog eens in zijn armen nemen. Ze weerde hem lief maar beslist af.

„Nee, niks daarvan. Je ziet er niet uit en volgens mij val je om van de slaap. Duik er maar gauw in."

„Laat me niet te lang liggen," vroeg hij nog, maar hij sliep al voordat hij de zin af had.

„Niet langer dan nodig is," antwoordde ze vaag. Ze liet hem alleen en deed zachtjes het luik dicht.

Dirk sliep langer dan een paar uur, hij sliep de klok rond. Toen hij eindelijk zijn ogen opendeed, was het donker in de kelder. Naast zich hoorde hij de rustige ademhaling van de kinderen, vermengd met een diepere ademhaling. Tom, begreep hij. Waar was Judith? Hij stond op. Op de tast zocht hij het opstapje naar het luik. Hij stootte ergens tegenaan en meteen vroeg een slaperige kinderstem: „Mama?"

Dirk antwoordde niet; hij bleef doodstil staan om de slaap van het kind niet verder te verstoren.

Gelukkig ging op dat moment het luik op een kier open, en een flauwe lichtstraal viel naar binnen.

Dirk keek met knipperende ogen in het licht en fluisterde: „Mag ik er alsjeblieft uit? Ik heb dorst!"

„Hou je mond, Vos!" fluisterde Judith terug. „Je maakt de andere kinderen wakker!"

Toen hij tegenover haar stond, vroeg hij uitdagend: „Wou je zeggen dat ik ook een kind ben?"

„Nou, nee," plaagde Judith, terwijl ze langzaam achteruit liep. „Maar helemaal volwassen ben je nog niet. Dat komt nog wel. Hoop ik!"

„Jij hebt een heel grote mond, weet je dat?" zei hij, terwijl hij haar volgde naar de woonkeuken. Daar keek hij op de klok. „Al twaalf uur geweest? Geen wonder dat ik rammel van de honger."

„Ik heb iets voor je dat op koffie lijkt en als je wilt, zal ik een paar eieren bakken."

„Ah, koffie!" zei Dirk, terwijl hij ging zitten. „Al smaakt hij naar slootwater. Maar eerst..." hij strekte zijn armen uitnodigend naar haar uit, „ik ben nu volkomen uitgerust."

„Ja, maar nu ben ík doodmoe!" plaagde Judith. „En ik moet koffie zetten."

„Wat kan mij die koffie schelen," riep Dirk. „Waarom ontwijk je me? We hebben elkaar zolang niet meer gezien, ik heb zo naar je verlangd."

„Dat is het nou juist," antwoordde ze. Haar donkere ogen keken hem hunkerend aan. „Dat is het nou juist, lieve Dirk. Ik heb ook naar jou verlangd, elk moment van elke dag. En nu we weer bij elkaar zijn, ben ik een eigenlijk bang dat ik me door mijn gevoelens laat meeslepen en dat kan niet. Niet nu, niet in deze situatie. Ik hou ontzettend veel van je, maar we moeten geduld hebben, allebei."

„Een zoen kan er toch wel af? Alleen een zoen. Dat is toch niet te veel gevraagd?"

„Nee," zei ze en ze sloeg haar armen om zijn hals, „dat is niet te veel gevraagd."

Ze bleven lange tijd bij elkaar, ook al drong Dirk er verschillende keren op aan dat ze zou gaan slapen. Hij vond wel ergens een plekje waar hij de ochtend kon afwachten. Ze liet hem nu niet meer zo gauw alleen. Ze zat tegenover hem aan de lange tafel in het schemerige vertrek. Ze praatten zacht met elkaar, over de toekomst, waar ze zoveel van verwachtten, over hun families en kennissen.

Dirk vertelde haar over de gewonde Chiel van Kerkum en de moedige dood van Breker Ben.

Judith was daar erg verdrietig over. Dirk moest haar precies vertellen hoe het was gebeurd en hoewel de tranen in haar ogen stonden, voelde ze zich getroost door het verhaal.

Ten slotte wist Dirk haar zover te krijgen dat ze nog een paar uur ging rusten. „Je moet morgen fit zijn," hield hij haar voor.

Nadat ze in de kelder verdwenen was, liep hij in gedachten het plan dat hij met Kok en De Jong uitgestippeld had, punt voor punt na. Het was een gewaagd plan. Er zaten zwakke punten in, maar iets beters konden ze niet bedenken.

Op zich had Dirk niets meer te maken met Kok. Nu hij Judith en David had teruggevonden, was zijn tocht geslaagd. Er was alleen één maar. Zolang de familie van Kok gevangen was, bleef de man een marionet in de handen van Bloks. Natuurlijk zou hij hem laten praten. Over het Commando, over de Vos, over de schuilplaats van Judith... Kok mocht absoluut nooit meer met Bloks praten.

De familie Kok zat in een school in Markelo, redelijk verzorgd, maar onder bewaking. Ze hadden een heel scenario uitgewerkt, hoe ze de familie eruit zouden halen. Kok zou een centrale rol spelen. Veel, misschien wel alles, hing van zijn optreden af. Als zijn aandeel in het spel goed was verlopen, dan waren De Jong en Dirk aan de beurt. En hun bijdrage in de operatie was zo gewaagd en brutaal, dat Dirk, toen De Jong het voorstelde, eerst geroepen had: „Dat meen je niet! Jij wilt gewoon met een vrachtwagen naar die school gaan en zeggen dat je de familie Kok komt ophalen? Dat lukt toch nooit!"

„Dat lukt, als we ons verstand erbij houden," had De Jong onverstoorbaar geantwoord. „Er is een man die ons aan een volgetankte legerwagen kan helpen. Hij werkt als monteur op een groot parkeerterrein van de moffen, hier dicht in de buurt. Dat staat vol rijdend materiaal. Hij kan zelfs aan een gevechtswagen komen, als het moet, maar dat zou te opvallend zijn!" De Jong had zelf om het idee gelachen. „De man maakt regelmatig proefritten als hij een reparatie heeft uitgevoerd; daar is niets bijzonders aan. Voor de nodige papieren zorg ik. Een paar uurtjes werk. Jij en Kok hebben uniformen. Kok gaat in zijn burgerkloffie bij zijn familie op bezoek, dat mag hij. Ik trek zijn uniform aan."

„Maar ze zullen me meteen ondervragen over wat ik heb meegemaakt," had Kok tegengeworpen. „Als ze me door hebben, is alles verkeken."

„Dan zorg je maar dat je een geloofwaardig verhaal hebt," was Dirk de drukker bijgevallen. „Je hebt nog wat goed te maken, of ben je dat vergeten?"

„Goed, ik zal mijn best doen. Voor mijn vrouw en kinderen doe ik alles."

„Dat zou ik ook zeggen," knikte De Jong.

En nadat ze alle details nog eens grondig hadden doorgenomen, waren ze uit elkaar gegaan.

Over een paar uur moet het gebeuren, dacht Dirk. Het wordt een stunt van de bovenste plank, als het lukt. Als we weg kunnen komen en als we hier bij de boerderij kunnen zijn voor ze argwaan krijgen, hebben we een kans. Een kans, meer niet. Want daarna moeten we verder, naar het Zuiden. Onderweg zal het wemelen van de Duitsers. Maar ik heb geen andere keus. Het is erop of eronder.

13

De school lag in een smalle straat zonder trottoirs. Voor in de straat was aan de rechterkant de zijgevel van een kerkgebouw. Direct achter de kerk was de sacristie en daarnaast lag de school met een speelplaats ervoor en ernaast. Langs de straatkant stond een hoog, ijzeren hek. De poort was smal, niet berekend op auto's. Er stond een schildwacht bij. De ingang van de school was aan de zijkant. Om daar te komen, moest je de eerste speelplaats oversteken en om het gebouw heen lopen naar het tweede plein. Dat plein was rondom afgesloten. Links door een hoog gebouw en aan het einde door een muur. Het was een fuik. Om te voorkomen dat iemand vluchtte, moest alleen de verbinding tussen de twee speelplaatsen afgesloten worden.

Het schoolgebouw telde twee verdiepingen. De klaslokalen beneden waren in gebruik als wachtlokaal, als kantoor voor de verantwoordelijke commandant en als slaapzalen voor de manschappen. Het was een mengeling van Duitse en Nederlandse SS'ers en mannen van de WA. Samen vormden ze drie van de beruchte SS-Jagdkommando's. Eén daarvan stond onder het bevel van SS-luitenant Richard Bloks.

In de lokalen op de eerste etage zaten de gevangenen. Mensen die tijdens razzia's waren gearresteerd. Ze werden in dit gebouw ondervraagd om later te worden afgevoerd naar een van de concentratiekampen. In het laatste klaslokaal, aan het einde van een lange gang, zat de familie Kok. Ze zaten daar als muizen in de val. De trap en de lange gang vormden de tweede fuik waar je doorheen moest als je wilde ontsnappen.

Tegenover de school stond een lange rij arbeidershuizen. Ze waren vrijwel allemaal aan elkaar vast gebouwd. Slechts hier en daar was een smal poortje. Voor die huizen stonden legerauto's, over de hele lengte van de straat. De ruimte die overbleef, was net voldoende om een vrachtwagen door te laten. Het was een straat met eenrichtingsverkeer. Wie er aan de verkeerde kant inreed, en op een tegenligger stuitte, zat klem. Dat was de derde fuik.

Op die bewuste morgen kwam een man in alle vroegte over het kerkplein aanlopen. Hij had een aktetas onder zijn arm en hij liep snel, alsof hij een afspraak had. Zonder aarzelen stapte hij de straat in, langs de kerk, tot bij het hek. Daar stopte hij en keek door de ijzeren spijlen naar de school. Het was een vluchtige blik, maar zijn ogen registreerden alles, en wat ze zagen, was niet bepaald geruststellend. Er liepen nogal wat soldaten heen en weer. De ramen waren afgeschermd door stevige, stalen horren die met gaas waren bespannen. De schildwacht bij de ingang zag er vastberaden uit. Als we hier uit komen, is er een wonder gebeurd, dacht Kok, terwijl hij naar de schildwacht liep.

„Ja?" vroeg de soldaat, een Nederlander, een WA-man.

„Ik heb toestemming om de familie Kok te bezoeken," zei Kok. „Ik ben dominee. Ik ben hun geestelijk verzorger."

„Papieren, naam," verlangde de schildwacht en hij strekte in een routinegebaar zijn hand uit.

Kok zei dat hij Van Sprundel heette en greep in zijn binnenzak. Uit zijn portefeuille haalde hij zijn Nederlandse persoonsbewijs en een Sonder-Ausweis waarop zijn functie en een speciale vergunning om de gevangenen te bezoeken stond aangegeven.

Even leek het erop dat de schildwacht de zaak niet vertrouwde. Hij bekeek de papieren heel zorgvuldig. Hij vergeleek de pasfoto's een paar maal met het gezicht van de man voor hem. Hij kon echter niets vinden wat niet klopte en gaf alles terug. Toch liet hij Kok nog niet door. „Geestelijk verzorger, hè?" vroeg hij langzaam. „Ik heb je hier nog niet eerder gezien."

„De leden van de familie Kok zijn niet de enigen van mijn gemeente die gevangen zitten," antwoordde Kok op verwijtende toon.

„Dat verbaast me niets," zei de schildwacht cynisch. „Het wemelt van de landverraders!"

„Dat is zeer zeker waar!" kon Kok niet nalaten te zeggen.

Op hetzelfde moment kon hij zijn tong wel afbijten, want de WA'er pakte hem bij zijn mouw, keek hem fel aan en vroeg dwingend: „Wat bedoel je daarmee?"

„Niets. Alleen dat ik het met je eens ben."

„U! Ik ben 'u' voor jou!"

„Neemt u me niet kwalijk."

„Nou vooruit, ga je gang maar. Meld je bij de officier van de wacht. Eerste kamer bij de trap."

Kok groette de WA'er en liep de speelplaats over. Hij moest moeite doen zijn zenuwen in bedwang te houden. Hij kreeg het gevoel dat alle soldaten die hij passeerde, hem met een wantrouwige blik aankeken. Hij trok zijn gezicht in een opgewekte grijns en knikte vriendelijk naar links en rechts. Een paar kerels groetten terug en dat stelde hem een beetje gerust. Op de tweede speelplaats waren soldaten aan het voetballen. Joelend als uitbundige kwajongens renden ze over de hard geworden sneeuw achter een bal aan. Ook dat waren jonge Nederlanders, in dienst van de vijand.

Zonder te aarzelen liep Kok naar de openstaande deur, waardoor vroeger kinderen naar binnen gingen, op weg naar hun klassen. Recht tegenover zich in de gang zag hij de granieten trap naar boven. Daarnaast was de deur van de wachtcommandant, maar Kok dacht er niet aan om het bevel van de schildwacht op te volgen. Hij ging de trap op, uiterlijk volkomen kalm, maar in zijn binnenste ging zijn hart als een gek tekeer. De trap maakte een draai waardoor hij van beneden niet langer te zien was. Nu liep hij met twee, drie treden tegelijk, haastig, en dat werd hem bijna noodlottig.

Boven aan de trap verschenen plotseling twee SS'ers die verbaasd naar de aanstormende burger keken.

„O, pardon!" zei Kok en hij hield in.

„Wat is er aan de hand?" vroeg een van de SS'ers. „Is er brand?

„Niet dat ik weet," antwoordde Kok en hij probeerde te glimlachen.

„Waar moet je zijn?"

„Familie Kok. Ik ben dominee Van Sprundel."

„Een dominee voor de Koks? Daar weet ik niets van." Hij keek naar zijn collega. „Weet jij of er toestemming is gegeven voor bezoek van een dominee?"

De collega haalde zijn schouders op en zei: „Geen idee, maar

Bloks zal er wel vanaf weten."

„Ja, dat zal wel." Hij keek Kok weer aan. „Laatste deur links. Maar u kunt daar niet binnen, de deur is op slot. Hebben ze niemand met u mee gestuurd?"

„Nee," antwoordde Kok en het zweet brak hem uit. „Ik zou het wel vinden, zeiden ze beneden."

„Luie varkens!" mopperde de SS'er. „Altijd hetzelfde liedje. Nou, kom maar mee."

Tussen de soldaten in liep Kok door de lange gang. Door de hoge, afgeschermde ramen keek hij in de tuin van de pastorie. Een dienstmeisje was bezig de sneeuw van het pad te vegen. Verder weg zag hij de achtertuinen van de huizen liggen. Hij zag vogels in een kale boom, merels, mussen. Als het misloopt, is dit het laatste wat ik zie, dacht Kok.

Nu stonden ze voor de deur. Achter die deur zaten zijn vrouw en kinderen en zijn vader. Hoe zouden ze reageren als ze hem plotseling zagen verschijnen? Ik moet proberen te voorkomen dat ze de zaak verraden, dacht hij. Stel je voor dat ze in hun verbazing zijn naam noemden. Zeker Elsje was zo'n spontaan kind. Het mocht niet gebeuren dat ze hem van blijdschap om zijn hals vloog.

De SS'er deed de deur van het slot. Hij greep de klink, maar Kok legde zijn hand zalvend op de zijne.

„Als u het niet erg vindt, zou ik de mensen graag alleen begroeten," zei hij bijna fluisterend.

Er was een aarzeling, maar niet lang. „Als u dat wilt, ga uw gang, dominee." De soldaten deden warempel een stapje terug.

Kok opende de deur eerst op een kier, toen verder, stapte naar binnen en sloot de deur meteen achter zich. Het was in een paar seconden gebeurd.

Vanuit de verste hoek van het hoge, kale lokaal keken vier paar ogen hem aan. Er was ongeloof, enorme verbazing en uitbundige blijdschap in te lezen, maar Kok smoorde meteen elke klank door zijn vinger waarschuwend op zijn lippen te leggen.

„Dag, beste mensen!" zei hij zo hard en duidelijk mogelijk. „Eindelijk heb ik tijd om jullie te bezoeken! Hoe gaat het met jullie?" Tegelijk spreidde hij zijn armen en met een gesmoorde kreet stortte zijn vrouw zich daarin. Tranen rolden over haar wangen. Hij klemde haar dicht tegen zich aan, kuste haar voorhoofd, haar haren, haar natte gezicht. „Stil maar, lieverd," suste de anders zo beheerste koerier met trillende stem. „Het komt goed, het komt allemaal goed!"

„Pap!" Het was Els, zijn dochter, die smekend aan zijn mouw trok, omdat zij ook even zijn beschermende armen wilde voelen. Hij trok haar naar zich toe en omhelsde haar.

Over de schouders van moeder en dochter keek hij naar zijn zoon, die halverwege het lokaal was blijven staan, niet wetend of hij zich ook in de familievreugde zou storten of dat hij zich groot moest houden. Hij stond daar, met zijn magere, slungelige jongenslijf, en zijn ogen straalden.

Kok knikte hem toe en zijn lippen vormden zijn naam: „Hallo, Freddy!"

Toen kwam hij, aarzelend. Hij wilde niet omhelsd worden, alleen even zijn vader aanraken, alsof hij zich ervan wilde overtuigen dat hij niet droomde.

De begroeting duurde maar heel even; er was geen tijd te verliezen. Kok had moeite zich te verlossen uit de greep van zijn vrouw en dochter. Hij had zo wel uren kunnen staan, maar het mocht niet. Er moest gehandeld worden. Hij maakte zich los, liep naar zijn vader en gaf hem een hand. Toen begon hij haastig te spreken, met zachte, dwingende stem. „Luister goed! Ik ben gekomen om jullie hier weg te halen. Stel geen vragen, doe alleen precies wat ik zeg, dan komt alles goed." Hij keek op zijn horloge. „Dadelijk komen vrienden van mij. Ze doen zich voor als Duitsers en zullen jullie meenemen. Schrik dus niet, als ze plotseling verschijnen. Het hoort allemaal bij het plan. Buiten zal een vrachtwagen staan, en daar moeten jullie in. Gedraag je als gevangenen, speel je rol! Jullie worden naar een concentratiekamp gebracht, moeten jullie maar denken."

„Kan dat zomaar?" vroeg zijn vader aarzelend. „Wat gebeurt er met ons als het misgaat?"

„Er gaat niets mis!" zei Kok heftig. Hij wilde niet aan die mogelijkheid denken. „En denk erom, ik ben jullie dominee, dominee Van Sprundel! Onthou dat goed! Zijn jullie er klaar voor?"

„Wij zijn klaar," zei zijn vrouw, met een gespannen, bleek gezicht.

Els knikte dapper. Freddy knikte heftig met zijn hoofd. Zijn ogen blonken van spanning en opwinding.

„Dan gaan we nu een stukje uit de bijbel lezen," zei Kok luid.

Er reed een legertruck de smalle straat in. Achter het stuur zat De Jong. Zijn ogen keken onverstoorbaar en nors onder de pothelm vandaan en registreerden alles. Behalve de lange rij stilstaande wagens aan de linkerkant, was de straat vrij. Hij reed rustig door, tot bij de school en stopte pal voor en vlak naast het hek, zodat er bijna geen mens meer in of uit kon en liet de motor draaien.

„Gefreiter!" riep hij op commandotoon.

Dirk, die in de gesloten laadbak zat, maakte de haken van de achterklep los en gooide hem neer. Hij sprong op de straat en gleed even uit op de ijs geworden sneeuw. Hij werd gehinderd door het machinepistool, dat op zijn borst hing. Hij herstelde zich snel, mopperde: „Verdammte Schweinerei!" en liep op de schildwacht toe, die hem met een afwachtende blik zag naderen.

„Wo ist die Familie Kok?" eiste Dirk kortaf. „Sie werden abgeführt!"

„De familie Kok op transport?" vroeg de WA-man verbaasd. „Daar weet ik niets van." Hij draaide zich om, misschien met de bedoeling er iemand bij te roepen, maar de Vos gaf hem de kans niet.

Uit een kleine, leren tas aan zijn koppelriem haalde hij een papier dat er zeer officieel uitzag, met stempels van adelaars en hakenkruizen. „Befehl vom Hauptkommando der Gestapo vom Kreis Zwolle!" daverde Dirk door. Hij sprak Zwolle uit alsof hij tien toffees in zijn mond had. „Schnell!"

De schildwacht was helemaal overdonderd. Het gebeurde wel meer dat de Gestapo gevangenen kwam ophalen, en hun besliste, hooghartige optreden imponeerde altijd. Naast hen voelde de WA'er zich maar een klein, onbelangrijk soldaatje. „Ja, ja, ich verstehe," zei hij haastig. „Die wacht ist in die gang, der Korridor. Verstehen Sie?"

„Die Familie Kok!" baste Dirk, terwijl zijn ogen rusteloos rondgingen. Elke seconde oponthoud kon te veel zijn. Op de speelplaats bleven een paar soldaten staan en keken naar het tafereel bij de poort. „Wo sind sie?"

„Op de bovenverdieping... eh... im zweiten Stock."

„Mitkommen," gelastte Dirk.

„Aber, ich habe... ich stehe op wacht!"

„Macht nichts! Kommen Sie mit!" Dirk duwde de schildwacht bijna voor zich uit, de poort door. In marstempo ging het over de speelplaats, de groepjes soldaten gingen braaf opzij. De schildwacht dacht er niet meer aan tegen te sputteren. Dit was iets van een hogere macht, waar hij geen verstand van had. Het leek hem het beste maar te doen wat er van hem verlangd werd. Hij liep rechtdoor naar de tweede speelplaats, waar de voetballers even hun spel staakten. Deze begonnen te lachen om hun landgenoot die daar door een Duitser werd voortgejaagd, alsof hij een gevangene was.

„Bitte, diese Tür," zei de WA'er.

„Weiter! Weiter!" joeg Dirk. Het gaat goed, flitste het door hem heen, het gaat boven verwachting goed. Als we net zo makkelijk weer weg kunnen komen, is het een fluitje van een cent.

Ze gingen de trap op en nog steeds was er niets dat de actie in de war dreigde te sturen. Ze volgden de kromming van de trap en juist toen ze uit het zicht zouden verdwijnen, ging beneden in de gang de deur van de wachtcommandant open en kwam een man in een zwart uniform naar buiten. Hij had een parmantig zweepje onder de arm en zijn smalle, hanige gezicht ging met een wrevelige blik naar boven. Hij zag nog juist een paar laarzen verdwijnen. „Wat moet dat?" riep hij.

Dirk, boven op de trap, verstijfde. Hij had de stem herkend, de stem van de man die zijn persoonlijke vijand was, op wie hij jacht maakte, maar die hij nu, op dit ongelukkige moment, mijlenver hier vandaan wenste. Beneden in de gang stond SS-luitenant Richard Bloks, de Zwarte Meester! Dirk begreep dat hij in de val zat. Een fractie van een seconde dacht hij eraan om te keren, zijn machinepistool te grijpen en voorgoed af te rekenen met de gevreesde mensenjager. Maar meteen bedacht hij dat hij dan het onverbiddelijke doodvonnis zou afroepen over hemzelf, over Kok en zijn familie en over De Jong, die bij de poort stond te wachten. Hij moest nu doorgaan; er was geen alternatief.

De schildwacht had bij het horen van de stem van Bloks zijn pas ingehouden, maar Dirk duwde hem voort. Zijn hand lag om het machinepistool en zijn ogen keken dreigend. Het ontzag van de soldaat veranderde in schrik. Hij besefte dat hij er ingetuind was.

„Loop door, als je leven je lief is!" siste Dirk. „In welk lokaal zit de familie Kok?"

„Helemaal achteraan," antwoordde de wacht, onbewust ook fluisterend.

„Goed. Is er een andere uitgang? Een raam, een plat dak, of zoiets? Vlug, zeg op!"

„Er is een brandtrap in het bezemhok tegenover de klas. Maar die is afgesloten."

Ze waren bij de deur van het lokaal. Dirk smeet die open en overzag met één blik de situatie. „Kok! Vlug, of we zijn erbij! Kom mee!"

Even was er paniek. De familie wist niet goed wat er gebeurde, ondanks de waarschuwing die ze gekregen hadden. De vrouw, de kinderen en de oude man, ze keken Kok aan, die plotseling een enorme verantwoordelijkheid op zijn schouders voelde drukken. Hij greep in zijn aktetas en haalde een pistool te voorschijn.

De Vos greep de schildwacht bij zijn schouder en duwde hem het lokaal in. Hij rukte hem zijn wapen uit handen en gaf dat aan Kok. „Muisstil!" dreigde hij de schildwacht. „Of je bent er geweest!"

„Ik zeg niets!" beloofde de WA'er. „Geen kik!"

„Weg! Kom op!" drong Dirk aan. Hij joeg de familie de gang op, sloot de deur van de klas en probeerde de deur er tegenover. Die was open!

Op de trap klonken voetstappen.

Dirk opende de deur; erachter was een klein hok vol bezems, emmers en andere schoonmaakspullen. „Erin! Allemaal erin!"

Ze stonden als haringen in een ton, maar het lukte.

Dirk trok de deur dicht en meteen stonden ze in het stikdonker. „Er is hier een branddeur!" Gejaagd tastte hij langs de wanden, gooide kledingstukken, waarschijnlijk werkschorten en overalls, van haken en vond toen de smalle, stalen deur, die met grendels was afgesloten. Hij probeerde de grendels weg te schuiven, maar het ging stroef. Het duurde te lang. Met de kolf van zijn machinepistool ramde hij ze los en trapte de deur open. Een zee van licht viel naar binnen, op het moment dat er in de gang geschreeuwd werd: „Alarm! Alarm!"

Dirk greep het meisje bij de arm en duwde haar bijna van de steile brandtrap af. Toen de jongen, daarna de oude vader, en vervolgens de vrouw van Kok. „Nu jij," zei hij tegen de koerier.

Die keek hem lijkbleek aan, maar zijn ogen stonden beslist. „Nee," zei hij rustig. „Ik blijf. Neem mijn gezin en mijn vader mee, ik houd ze hier tegen. Het zal de aandacht afleiden."

„Je bent gek!" schreeuwde Dirk. „Je hebt geen schijn van kans."

„Als ik meega, hebben we geen van allen een kans. Ga nu maar."

Een fractie van een seconde, die een eeuwigheid leek, stonden ze tegenover elkaar. Een wilde storm van protest en onmacht joeg door Dirk heen. Hij voelde zich schuldig dat hij deze moedige man zo verkeerd beoordeeld had. Hij wilde niet dat hij zich opofferde, zoals Breker Ben had gedaan.

Kok zag de aarzeling in zijn ogen en hij knikte. „Toe nou, red mijn gezin. Dat is me alles waard, begrijp dat toch!"

„Sterkte!" zei Dirk schor en hij dook de smalle, ijzeren trap af.

De trap eindigde aan de achterkant van de school. Daar was een smalle doorgang die werd gebruikt om vuilnisemmers neer te zetten. Dirk sprong van de laatste sport en voegde zich bij de anderen, die angstig op hem stonden te wachten.

„Handen op jullie hoofd en lopen!" beval Dirk, met zijn pistool in de aanslag.

„Waar is Henk? Waar is mijn man?" vroeg de vrouw, met een vertwijfelde blik naar boven. Dirk gaf geen antwoord en ze begreep het. „Ik ga niet zonder mijn man!"

„Je moet, Trees!" eiste de oude man met tranen in zijn ogen. „Het is mijn zoon… maar… ik ga ook. Voor jou, voor jullie kinderen!"

„Papa! O, papa!" begon Els te jammeren.

„Kom nou toch in vredesnaam!" riep Dirk wanhopig. „Straks is alles voor niets geweest. Dat willen jullie toch ook niet. Lopen, vlug, alsof je opgejaagd wordt. Snel!"

En ze liepen. Ze liepen met betraande gezichten en met de handen op hun hoofden voor Dirk uit over de speelplaats, en de soldaten die daar waren, keken alleen toe. Ze zagen een groepje burgers met een gewapende Duitser erachter en dat was een vertrouwd beeld voor hen.

Toen hij langs de openstaande schooldeur kwam, wierp Dirk een blik naar binnen. Hij zag SS'ers de trap op stormen en hij voelde zich vreselijk ellendig. Kok was een verloren man, dat stond vast.

En terwijl die gedachte door hem heen ging, klonk op de bovenverdieping het eerste salvo.

„Doorlopen!" zei Dirk, toen hij een aarzeling merkte bij de jonge Freddy. „Niet opgeven! We zijn er bijna."

Daar was het hek en daar was De Jong, die uit de cabine sprong en hen met een pistool in de hand tegemoet liep. „Wat gebeurt er?" riep hij.

„Geen vragen!" riep Dirk. „Rennen!"

Want op de andere speelplaats klonken onrustbarende geluiden van schreeuwende soldaten en er vielen schoten.

Terwijl De Jong weer achter het stuur sprong, doken de anderen in de laadbak; Dirk als laatste. Op zijn knieën gezeten richtte hij zijn machinepistool op de speelplaats. De Jong startte en juist op dat moment zag Dirk een man aan komen rennen.

„Wacht!" schreeuwde hij boven het geloei van de motor uit.

Struikelend en schietend tegelijk kwam Kok om de hoek van de school. Hij rende voor zijn leven. Achter hem aan kwamen de SS'ers.

Dirk sprong overeind en staande in de laadbak opende hij het vuur op de achtervolgers, die onmiddellijk terugweken.

Kok haalde het. Hij vloog door de poort, klampte zich aan de truck vast en hijgde: „Rijden!"

Dirk greep hem bij zijn kraag en sleurde hem naar binnen. „Ja!" schreeuwde hij.

De Jong gaf gas en de logge wagen sprong als een wilde olifant vooruit, schoof weg op het gladde wegdek, botste zijdelings tegen een geparkeerde auto en kwam toen op gang, sneller en sneller, de straat uit en slippend de hoek om.

Dirk liet zijn machinepistool vallen, bukte zich, trok de laadklep omhoog en zette die vast. „We hebben het gefikst!" hijgde hij opgelucht. Pas toen keek hij naar Kok, die met een bleek gezicht tegen de zijwand zat. Dirk zag bloed op zijn hand en schrok.

De koerier merkte het en glimlachte flauw. „Mijn arm," zei hij luchtig. „Vleeswond, stelt niets voor! Het zijn waardeloze schutters!"

Nauwelijks een half uur later daverde de legertruck de zandweg op naar de boerderij van Harm Deelen. Toen De Jong op het erf stopte, bleef de achterdeur eerst angstvallig gesloten, maar toen Dirk uit de laadbak sprong, kwam Judith naar buiten en wierp zich in zijn armen.

„Nu even niet, liefste," weerde hij af. „Haal de kinderen, we moeten onmiddellijk weg."

Met de hulp van Tom Vorstenbosch en De Jong werden de kinderen in de auto getild. Judith volgde. Het zeildoek werd neergelaten en zorgvuldig vastgemaakt.

„Zo," zei De Jong. „Dat karwei is weer achter de rug. Jullie vinden het verder wel."

„Wat? Je gaat toch met ons mee?" vroeg Dirk verbaasd.

„Nee, ik blijf hier. Er is nog zoveel te doen. Gaan jullie nou maar, ik kom wel weer thuis."

„Maar... maar je uniform dan?" probeerde Dirk.

„Er zal hier binnen wel wat hangen dat ik aan kan trekken."

„Je bent een rare kerel," zei Dirk, met bewondering in zijn stem. „Weet je het zeker?"

„Zo zeker als ik mijn naam weet," lachte De Jong. „Maak nu maar dat je wegkomt. Voor je het weet, zit er een mof op je lip!"

Dirk stak zijn hand uit. „Het ga je goed. En bedankt... voor alles."

„Laat maar zitten. Pas goed op jezelf en doe ze de groeten in het Zuiden. Zeg maar dat we hier een beetje ongeduldig worden."

„Ik zal de boodschap doorgeven."

De Vos klom in de cabine en stak zijn hoofd uit het portierraam. „Ik heb nog nooit met zo'n bakbeest gereden," bekende hij. „Hoe gaat dat?"

„Gewoon," antwoordde De Jong met een grijns. „Langzaam maar zeker. Voor je een paar kilometer gereden hebt, ben je eraan gewend."

„Daar gokken we dan maar op," zei Dirk. Hij stak zijn hand op en reed het erf af. Eerst met wat schokken, maar algauw werd dat minder. Op weg naar de Biesbosch...

Verklarende woordenlijst

Gestapo	- Geheime Staatspolizei. De geheim agenten waren vaak herkenbaar aan de beruchte leren jassen en slappe hoeden
gors	- buitendijks, aangeslibd land, dat bij normale vloed niet meer onderloopt; beplant met riet dat wel 4 tot 5 meter hoog kan worden
griend	- stukken grond, met lage dijken omgeven, beplant met laag wilgenhout dat elke 3 tot 5 jaar moet worden gekapt
griendhout	- ander woord voor rijshout
griendkade	- door griendwerkers aangelegde dijk, soms met behulp van gevlochten twijg- of rietmatten, ook wel met graspollen en dergelijke
Joodse Raad	- door de Duitse bezetters ingesteld joods bestuurslichaam, dat tot taak had de afgekondigde maatregelen uit te voeren
kil	- geul tussen twee zandbanken, gorzen of waarden
Ned. Waffen SS	- bestond voor een groot deel uit avonturiers, huurlingen en NSB'ers
NSB	- Nationaal-Socialistische Beweging; de Nederlandse tegenhanger van de fascistische NSDAP, de Nationalsozialistische Deutsche Arbeiterspartei. Daar komt de benaming 'nazi's' vandaan
Ordedienst	- gewapende verzetsorganisatie; zorgde voor ordehandhaving in de bevrijde gebieden

ordonnans	- militair die bevelen en rapporten moet overbrengen
rietgors	- met riet begroeide gors. Ook de naam van een vogel die in het riet leeft
rijshout	- takken en twijgen van wilgen
SA	- Sturmabteilung: korps stormtroepen
SD	- Sicherheitsdienst: inlichtingendienst
SS	- Schutzstaffel; oorspronkelijk opgericht ter bescherming van Hitler en andere leiders van de NSDAP. Later kreeg zij ook tot taak de veiligheid van de partij en de nationaal-socialistische staat te bewaren
slik	- aangeslibde, niet drooggelegde, onbegroeide grond
tij	- stroom die wordt veroorzaakt door eb en vloed
tommy's	- bijnaam voor Engelse soldaten
WA	- Weerbaarheidsafdeling; een paramilitaire organisatie van de NSB

Martien van Lent
Verzetsstrijder in de Biesbosch

Tijdens de Tweede Wereldoorlog heeft Martien van Lent belangrijk werk gedaan voor het verzet in de Biesbosch. Hij was kooiker op de Visplaat, en gedurende die woelige oorlogsjaren was zijn woning een rustpunt en een ontmoetingsplaats voor de mannen van de verzetsgroep 'het Biesbosch-Commando'. Hoe vaak ze ook kwamen, ze konden altijd rekenen op een warme maaltijd, schone en droge kleren en een goed bed.
De militaire uitrustingsstukken, behalve de wapens die op de gevangen genomen Duitsers waren buitgemaakt, werden door Martien van Lent op de Visplaat begraven. En natuurlijk zorgde hij ervoor dat er in het hoofdkwartier van het Commando aan de Dijk bij St. Jan regelmatig eendenbout op het menu stond.
Voor zijn inzet en moed heeft Martien van Lent het Verzetsherdenkingskruis gekregen. Dit boek draag ik aan hem op, en aan alle andere verzetsmensen die ieder hun eigen bijdrage aan het verzet leverden.
Graag wil ik hierin ook zijn zoon Ad van Lent uit Made betrekken, zonder wiens niet-aflatende, enthousiaste medewerking dit boek niet tot stand had kunnen komen.

Ad van Gils

Over de auteur

Ad van Gils is laat gestart met publiceren, na zijn vijfenveertigste. Sindsdien verschenen er van hem een reeks van streek- en volksromans, jeugdboeken, educatieve lectuur voor de Stichting Volwassen Educatie, bijdragen voor het Wereld Natuur Fonds, korte verhalen en feuilletons.
In zijn geboorteplaats Tilburg heeft hij de Tweede Wereldoorlog aan den lijve ondervonden: het tekort aan voedsel en aan fatsoenlijke kleding, het gevoel voortdurend te moeten opletten op wat je zegt en doet, broers die moesten onderduiken voor de bezetter, een onderwijzer die in NSB-uniform voor de klas stond, zijn vader die werd opgepakt omdat hij zich bezighield met het drukken van valse persoonsbewijzen, een tante die werd doodgeschoten bij een aanval van Engelse vliegtuigen.
Hij heeft de bombardementen gezien op vliegveld Gilze-Rijen. Hij zag de goederentreinen voorbij komen vol joodse landgenoten, op weg naar de vreselijke vernietigingskampen.
Toen hij het idee kreeg om te gaan schrijven over die spannende, maar vooral dramatische tijd, kon hij niet vermoeden dat hij zo door het onderwerp zou worden gegrepen. Hij heeft geprobeerd om een beeld te schetsen van die tijd, vooral voor de jeugd. Hij hoopt dat hij daarin met *De Vos van de Biesbosch* is geslaagd.

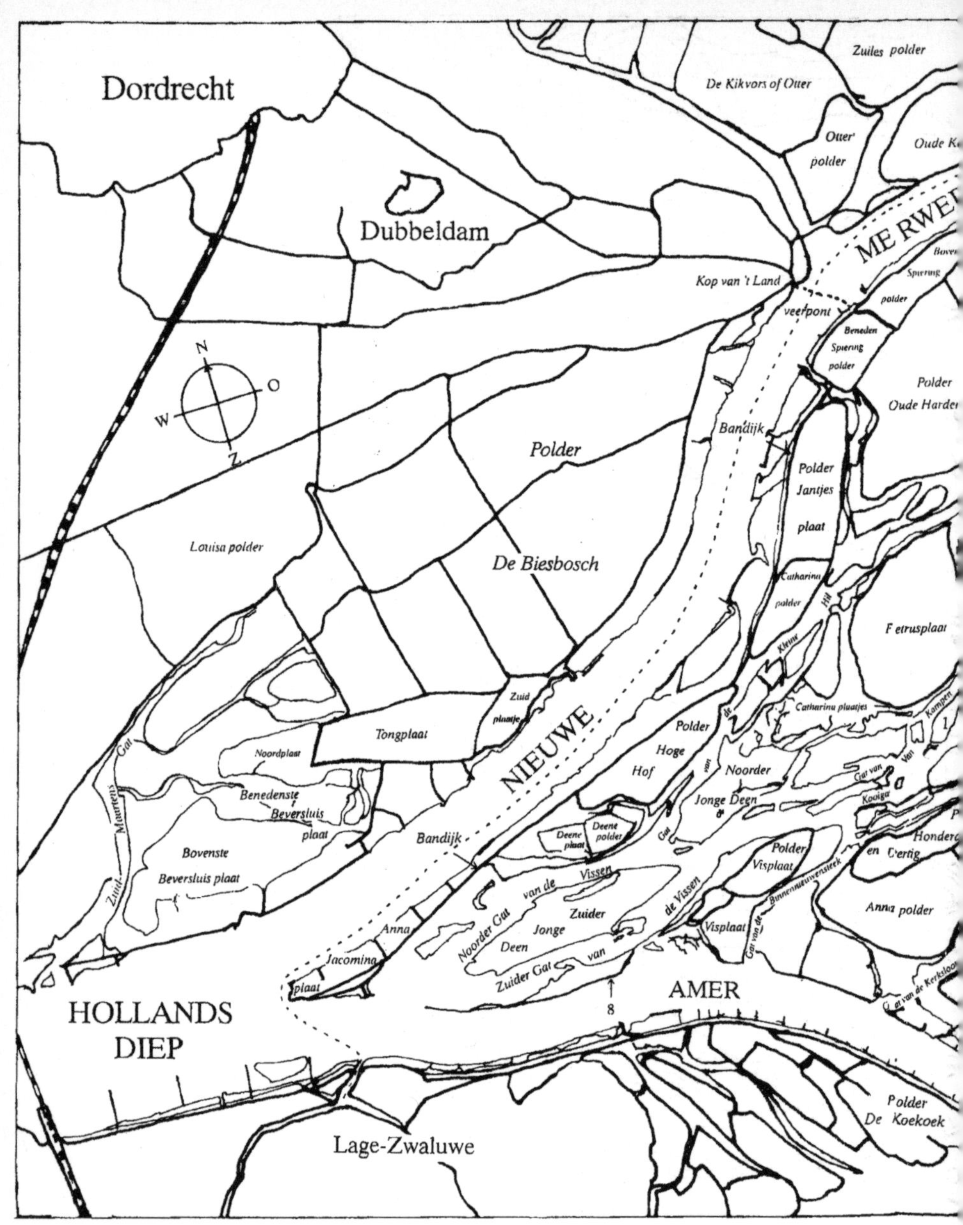

Kaart van de Biesbosch omstreeks 1940.

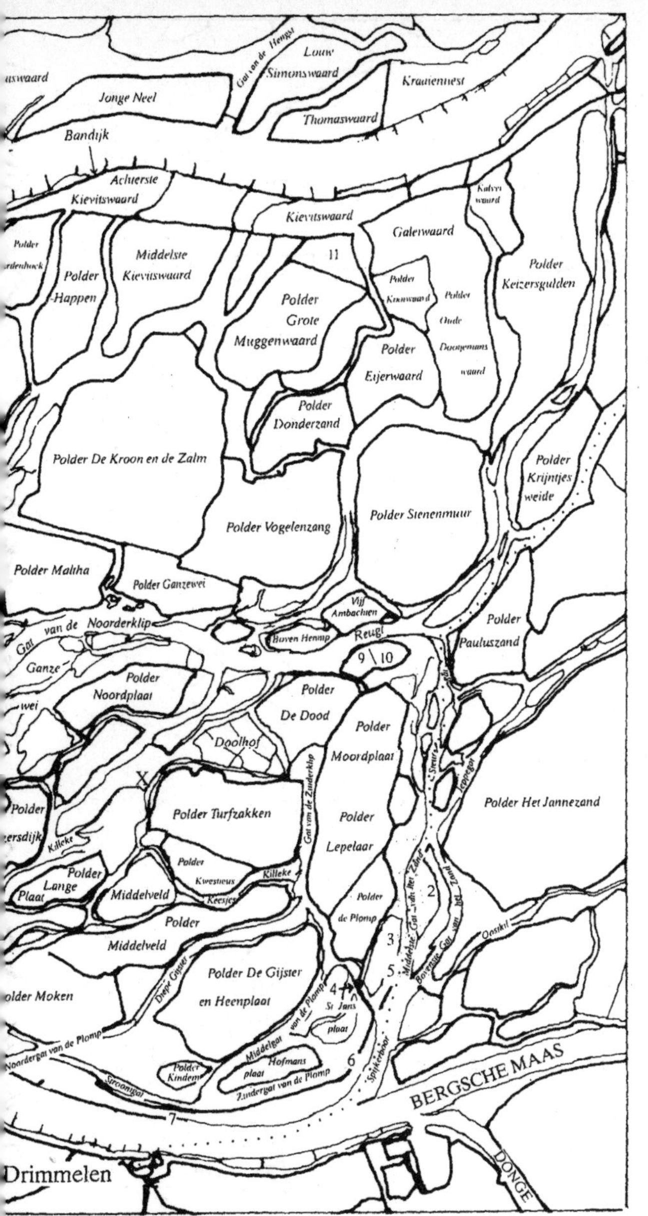

richting Werkendam

1 *Griendplaat*
2 *Middelste Jannezand*
3 *Benedenste Jannezaad*
4 *St. Jansbrug*
5 *het Klutenhome*
6 *de Dijk*
7 *de Mand*
aanlegplaats van overzetveer
8 *Postgaatje*
9 *Cornelia Polder*
10 *Ganzennest*
11 *Kleine Muggenwaard*
X *Plaats waar woonark ligt*

. . . *Oostelijke crossroute vanaf half aug. 1944 tot 13 jan. 1945*

- - - *Westelijke crossroute*

——— *eenvoudiger dijken of randen van griendgronden die vaak samenvallen met de oevers van geulen en kreken.*

▬▬▬ *belangrijke dijken of wegen*